D1082081

Nouvelles d'ici et d'ailleurs

Un monde à lire

Nouvelles
d'ici et d'ailleurs

Sélection et annotation par
Michèle Bourdeau
Michel Dulong

ÉDITIONS DU RENOUVEAU PÉDAGOGIQUE INC.

5757, RUE CYPIHOT, SAINT-LAURENT (QUÉBEC) H4S 1R3
TÉLÉPHONE : (514) 334-2690 • TÉLÉCOPIEUR : (514) 334-4720
COURRIEL : erpidlm@erpi.com

Conception graphique et édition électronique
ERPI

Correction
Lucie Bernard
Sylvie Massariol

Dépôt légal : 3ᵉ trimestre 2001
Bibliothèque nationale du Québec
Bibliothèque nationale du Canada

IMPRIMÉ AU CANADA   234567890 IG 09876543

ISBN 2-7613-1288-0   10512   OF12

Table des matières

Mot aux enseignants

En choisissant les vingt-trois nouvelles de ce recueil, nous avons voulu partager avec vous certains de nos coups de cœur pour des histoires qui nous ont charmés, émus ou amusés. Vous trouverez donc dans cet ouvrage un éventail de nouvelles qui se distinguent par leur diversité. Tirées des répertoires classique et moderne, elles reflètent l'imaginaire d'écrivains de cultures et d'époques différentes et traitent de thèmes variés.

Selon plusieurs historiens de la littérature, les courts récits du *Décaméron* de l'Italien Boccace (XIVᵉ siècle) seraient à l'origine de la nouvelle. Au début du XVᵉ siècle, Marguerite de Navarre s'inspirera d'ailleurs du *Décaméron* pour écrire soixante-dix petites histoires traitant d'amours galantes, réunies dans le recueil l'*Heptaméron*.

Ce n'est toutefois qu'à partir du XIXᵉ siècle que la nouvelle est considérée comme un genre littéraire. Il s'agit alors essentiellement d'un récit dont l'intrigue, sommairement ébauchée, se développe de façon linéaire, jusqu'à ce qu'un dénouement inattendu vienne créer un effet de surprise. En France, Prosper Mérimée et Guy de Maupassant s'imposent comme les maîtres de la nouvelle, tandis qu'aux États-Unis, Edgar Allan Poe marque l'évolution du genre. C'est d'ailleurs grâce à la littérature américaine que la nouvelle (*short story*) connaît une forte popularité, alors que des magazines, des hebdomadaires et des quotidiens en publient régulièrement.

Au XXᵉ siècle, de grands écrivains de tous horizons se sont adonnés à la nouvelle, faisant ainsi évoluer le genre. La nouvelle se définit maintenant avant tout par sa brièveté et se distingue ainsi du roman, genre auquel on la compare souvent. Elle se caractérise généralement aussi par une unité d'action et un petit nombre de personnages. Les indications spatiotemporelles et les caractéristiques des personnages sont réduites au minimum. La situation initiale est très brève, parfois même escamotée : on entre rapidement dans le vif de l'action ou du sujet. Quant à la situation finale, elle revêt souvent des formes différentes : fin inattendue, retour à la situation initiale, questionnement, ouverture sur autre chose, etc.

En fait, la nouvelle saisit sur le vif une tranche de vie : c'est un instantané dans lequel les personnages, souvent sans identité propre, ne font que passer. Faire vivre des personnages éphémères, raconter des événements liés à une action singulière, créer une atmosphère en un nombre restreint de pages : voilà le défi des nouvellistes. D'où le style concis et le haut degré d'intensité qui caractérisent en général la nouvelle.

Nous souhaitons vivement que vous et vos élèves partagiez le plaisir que nous avons eu à lire ces histoires et à découvrir les univers d'auteurs d'ici et d'ailleurs. C'est là une captivante façon de « lire le monde » !

Michèle Bourdeau
Michel Dulong

Isabel Allende (1942-)

En 1973, Isabel Allende a 30 ans, et sa carrière de journaliste va bon train. Un coup d'État survient alors dans son pays, le Chili. Son oncle, le président socialiste Salvador Allende, est assassiné. Le pays est déchiré et la dictature militaire dirigée par le général Pinochet s'installe avec ses atrocités quotidiennes : des milliers de personnes emprisonnées, torturées, assassinées. Le peuple chilien vit des heures san-glantes où le désespoir côtoie l'instinct de survie.

Isabel Allende s'exile au Venezuela en 1975, avec son mari et leurs deux enfants, et y demeurera pendant 13 ans. Après le retrait de Pinochet, elle retourne au Chili et milite ardemment au sein du Parti socialiste chilien.

Dans la nouvelle « Deux mots » (tirée des *Contes d'Eva Luna*, 1991), Allende présente un aperçu du pouvoir magique des mots dans la conquête du pouvoir. Ses romans, entre autres, *La maison aux esprits* (1982), *D'amour et d'ombre* (1984) et *Fille du destin* (2000) nous transportent au cœur des passions de la vie chilienne.

Deux mots

Elle avait pour nom Belisa Crepusculario, non par certificat de baptême ou trouvaille maternelle, mais parce qu'elle-même l'avait cherché jusqu'à tomber dessus, et s'en était affublée. Elle faisait
5 métier de vendre des mots. Elle sillonnait le pays, des

régions les plus hautes et froides jusqu'aux littoraux brûlants, s'installant dans les foires et sur les marchés où elle montait quatre piquets et une toile de tente sous laquelle elle se protégeait du soleil et de la
10 pluie en attendant sa clientèle. Elle n'avait nul besoin de bonimenter, car à tant aller par monts et par vaux, tout le monde la connaissait. Il y en avait qui guettaient sa venue d'une année sur l'autre et quand elle apparaissait au village avec son attirail sous le
15 bras, ils faisaient queue devant son éventaire. Ses tarifs étaient justes. Pour cinq *centavos*[1], elle récitait des vers par cœur ; pour sept, elle améliorait la qualité des rêves ; pour neuf, elle écrivait des lettres d'amour ; pour douze, elle inventait des insultes des-
20 tinées aux ennemis irréconciliables. Elle vendait aussi des histoires, mais il ne s'agissait pas d'affabulations, plutôt de longues et véridiques histoires qu'elle débitait d'une traite sans rien en omettre. Ainsi colportait-elle les nouvelles d'une bourgade à
25 l'autre. Les gens la rémunéraient pour y ajouter la valeur d'une ou deux lignes : un petit est né, Untel est mort, nos enfants se sont mariés, les récoltes ont brûlé. En chaque lieu, une petite foule s'assemblait autour d'elle dès qu'elle commençait à parler, s'in-
30 formant de la sorte sur la vie des autres, le sort de parents éloignés, les péripéties de la Guerre civile. À ceux qui pouvaient mettre cinquante *centavos*, elle offrait un mot secret capable de dissiper la mélancolie. Ce n'était évidemment pas le même pour
35 tout le monde : c'eût été une escroquerie généralisée. Non, chacun recevait le sien en étant sûr que personne d'autre n'en usait à cette fin dans l'univers entier et même au-delà.

Belisa Crepusculario avait vu le jour dans une
40 famille si misérable qu'elle ne disposait même pas de prénoms pour en doter ses enfants. Elle était née et avait grandi dans la province la plus inhospi-

[1] Un *centavo* est le centième d'un peso, unité monétaire de plusieurs pays d'Amérique latine. On parle donc ici d'une très petite somme.

talière, où les pluies se transforment certaines années en avalanches liquides qui emportent tout, et où,
45 certaines autres, pas une seule goutte ne tombe du ciel, le soleil s'élargit jusqu'à occuper tout l'horizon et le monde se change en désert. Jusqu'à l'âge de douze ans, elle n'eut d'autre occupation ni d'autre loi que de survivre à cette faim et à cette lassitude
50 séculaires. Au cours d'une interminable période de sécheresse, il lui échut d'enterrer quatre de ses jeunes frères, et quand elle comprit que son tour à elle arrivait, elle résolut de se mettre en marche à travers plaines en direction de la mer, pour voir si
55 au fil de ce voyage elle parviendrait à déjouer la mort. La terre était érodée, coupée de profondes crevasses, semée de caillasse, d'arbres et d'épineux fossilisés, de squelettes de bêtes blanchis par la chaleur. De temps à autre, elle rencontrait des
60 familles qui cheminaient comme elle vers le Sud, attirées par le mirage de l'eau. Certains s'étaient mis en route en emportant tous leurs biens sur leur dos ou dans des charrettes, mais c'est à peine s'ils pouvaient déplacer leurs propres os et au bout de
65 quelques pas, ils devaient abandonner leurs affaires. Ils se traînaient péniblement, l'épiderme transformé en peau de lézard, les yeux brûlés par la réverbération du soleil. Belisa les saluait au passage d'un simple geste, sans s'arrêter, car elle ne pouvait gas
70 piller ses forces en démonstrations de compassion. Nombreux furent ceux qui tombèrent en chemin, mais elle était si opiniâtre qu'elle réussit sa traversée de l'enfer et atteignit enfin les premières sources, minces filets d'eau presque invisibles qui abreu
75 vaient une végétation rachitique avant de se transformer, plus loin, en vagues rigoles, puis en bourbiers.

Belisa Crepusculario eut ainsi la vie sauve et le hasard voulut qu'elle découvrît de surcroît l'écriture. À son arrivée dans un village à proximité

80 du littoral, le vent déposa à ses pieds une page de journal. Elle ramassa ce papier jaunâtre, friable, et resta un long moment à l'examiner sans en deviner l'usage, jusqu'à ce que la curiosité l'emportât sur sa timidité. Elle s'approcha d'un homme qui étrillait
85 son cheval dans la même flaque boueuse où elle étanchait sa soif.

— Qu'est-ce que c'est que ça? demanda-t-elle.

— La page sportive du journal, répondit l'homme sans montrer le moindre signe d'étonnement devant
90 son ignorance.

La réponse laissa la fillette interdite, mais elle ne voulut point paraître effrontée et se borna à se renseigner sur la signification des pattes de mouche dessinées sur le papier.

95 — Ce sont des mots, ma petite. Là, par exemple, il est écrit que Fulgencio Barbo a mis K.-O. le noir Riznao au troisième round.

Belisa Crepusculario comprit ce jour-là que les mots allaient en liberté sans appartenir à personne,
100 et qu'avec un peu d'adresse, n'importe qui pouvait se les approprier pour en faire commerce. Considérant sa situation, elle en déduisit qu'hormis se prostituer ou s'employer comme souillon[2] dans les cuisines des riches, bien peu nombreuses étaient les
105 activités qu'elle pouvait exercer. Vendre des mots lui parut une alternative décente. Dès cet instant, elle se lança dans ce métier et jamais aucun autre n'éveilla son intérêt. Au début, elle proposait sa marchandise sans même soupçonner que les mots pouvaient
110 également s'écrire ailleurs que dans les journaux. Quand elle s'en avisa, elle mesura les perspectives infinies de son affaire, préleva sur ses économies vingt *pesos* qu'elle versa à un curé pour qu'il lui apprît à lire et à écrire, et avec les trois qui lui
115 restaient, elle fit l'emplette d'un dictionnaire. Elle

[2] Employé ici dans le sens de « servante, bonne à tout faire ».

le compulsa de A jusqu'à Z, puis elle le jeta à la mer, car elle n'avait nullement l'intention de flouer sa clientèle avec des mots de conserve.

Quelques années plus tard, par un matin d'août, Belisa Crepusculario se trouvait au beau milieu d'une place, assise sous sa toile de tente à vendre des arguments de justice à un vieillard qui réclamait en vain sa pension depuis quelque dix-sept ans. C'était jour de marché et un grand tohu-bohu régnait autour d'elle. Tout à coup, on entendit des galops et des cris, ses yeux se détachèrent des mots pour découvrir en premier lieu un nuage de poussière, puis une petite troupe de cavaliers qui avaient envahi l'endroit. Il s'agissait des hommes du Colonel, placés sous les ordres du Mulâtre, un géant connu dans toute la région pour la célérité de son couteau et sa fidélité à son chef. L'un comme l'autre, le Colonel et le Mulâtre avaient consacré toute leur existence à la Guerre civile, et leurs noms étaient irrémédiablement associés au fracas des calamités. Les guerriers avaient fait irruption dans le village comme une meute lancée à fond de train, suants et tumultueux, semant sur leur passage la terreur des typhons. La poulaille s'égailla en battant des ailes, les chiens filèrent se perdre on ne sait où, les femmes s'enfuirent avec leur progéniture et il ne resta bientôt plus sur la place âme qui vive en dehors de Belisa Crepusculario, laquelle n'avait encore jamais rencontré le Mulâtre et, pour cette raison même, fut toute surprise qu'il s'adressât à elle.

« C'est toi que je cherche ! » hurla-t-il à son intention en pointant sur elle son fouet enroulé, et avant qu'il n'eût fini de prononcer ces mots, deux hommes fondirent sur la fille, jetant bas sa tente et brisant son encrier, lui ligotèrent les mains et les pieds et la jetèrent comme un sac de matelot en travers de la croupe de la monture du Mulâtre. Puis ils s'en furent au grand galop en direction des collines.

155 Quelques heures plus tard, alors que Belisa Crepusculario était sur le point de rendre l'âme, le cœur changé en sable par le cahotement de la course, elle sentit qu'on faisait halte et que quatre poignes puissantes la déposaient à terre. Elle voulut se mettre debout et relever le front avec dignité, mais
160 elle avait présumé de ses forces et elle s'effondra dans un soupir, sombrant dans quelque rêve obscur. Elle ne se réveilla qu'au bout de plusieurs heures avec les murmures de la nuit régnant sur le campement, mais elle n'eut pas le loisir de déchiffrer ces
165 sons : en rouvrant les yeux, elle se retrouva sous le regard impatient du Mulâtre agenouillé près d'elle.

— Tu te décides enfin à te réveiller ! dit-il en lui tendant sa gourde pour qu'elle avalât une gorgée d'eau-de-vie mêlée de poudre et finît de revenir à elle.

170 Elle s'enquit de la cause de tant de rudoiements et il lui expliqua que le Colonel avait besoin de ses services. Il l'autorisa à s'humecter le visage, puis la conduisit aussitôt à l'autre bout du campement où l'homme le plus redouté du pays se reposait dans un
175 hamac suspendu entre deux troncs. Elle ne put discerner ses traits, dissimulés par l'ombre mouvante du feuillage et par celle, indélébile, de si nombreuses années passées à vivre en hors-la-loi, mais à voir l'humilité avec laquelle s'adressait à lui son colos-
180 sal aide de camp, elle se figura l'expression de mauvaiseté qui devait s'en dégager. Elle fut d'autant plus surprise par sa voix douce et bien modulée, semblable à celle d'un professeur.

— Tu es la marchande de mots ? lui demanda-t-il.

185 — Pour te servir, murmura-t-elle en sondant la pénombre pour mieux l'entr'apercevoir.

Le Colonel se leva et le faisceau de la torche que portait le Mulâtre l'éclaira en plein visage. La jeune femme découvrit son teint crépusculaire et son
190 regard altier de puma, et elle sut d'emblée qu'elle se trouvait en présence de l'homme le plus seul au monde.

— Je veux devenir Président, lui dit-il.

Il était las de sillonner cette terre maudite au gré
195 de combats inutiles et de défaites qu'aucun subterfuge ne parvenait à transformer en victoires. Cela faisait nombre d'années qu'il dormait à la belle étoile, piqué par les moustiques, se nourrissant de chair d'iguane et de bouillons de couleuvres, mais
200 ces menus inconvénients ne constituaient pas une raison suffisante pour changer de destin. En vérité, ce dont il avait assez, c'était de lire la peur dans le regard des autres. Il aurait aimé entrer dans les villages sous des arcs de triomphe, au milieu des ori-
205 flammes[3] bariolées et des fleurs, qu'on l'acclame et lui fasse présent d'œufs frais et de pain sorti du four. Il n'en pouvait plus de voir sur son passage les hommes prendre leurs jambes à leur cou, les enfants trembler, la frayeur faire avorter les femmes, et c'est
210 pourquoi il avait décidé de devenir Président. Le Mulâtre lui avait suggéré de foncer sur la capitale et de forcer l'entrée du Palais au grand galop afin de s'emparer du pouvoir, tout comme ils s'étaient approprié bien d'autres choses sans demander jamais
215 la permission à personne, mais le Colonel se refusait à n'être qu'un tyran de plus, comme il y en avait déjà tant sous ces latitudes, sans compter que ce n'était pas la meilleure façon de s'attirer l'affection des gens. Il avait dans l'idée de se faire désigner
220 par un vote populaire à l'issue des assemblées électorales de décembre.

— Pour cela, j'ai besoin de m'exprimer comme un candidat. Peux-tu me vendre les mots dont on

[3] Banderoles.

fait un discours? demanda le Colonel à Belisa
225 Crepusculario.

Elle avait accepté bien des commandes, mais
aucune qui ressemblât à celle-ci, mais elle ne s'es-
tima pas en situation de refuser, craignant que le
Mulâtre ne lui tirât une balle entre les deux yeux,
230 ou, pis encore, que le Colonel ne se mît à pleurer.
Au demeurant, elle éprouvait un profond désir de
lui venir en aide, car ce n'était pas pour rien qu'elle
avait ressenti un chaud frémissement lui parcourir
la peau, une puissante envie de caresser cet homme,
235 de laisser ses mains errer sur lui, de le prendre et de
le serrer dans ses bras.

Belisa Crepusculario passa toute la nuit et une
bonne partie de la matinée du lendemain à chercher
dans son répertoire les mots appropriés pour un
240 discours présidentiel, sous l'étroite surveillance du
Mulâtre qui ne quittait pas des yeux ses robustes
jambes de marcheuse et ses seins virginaux. Elle
écarta les mots trop rudes et trop secs, les trop
fleuris, ceux qu'un usage abusif avait fanés, ceux
245 qui dispensaient des promesses improbables, ceux
qui sonnaient faux, les confus et les ambigus, pour
ne conserver que ceux qui étaient susceptibles
de toucher en toute certitude l'entendement des
hommes et l'intuition des femmes. Mettant à profit
250 les connaissances qu'elle avait achetées pour vingt
pesos au curé, elle rédigea la harangue sur un bout
de papier, puis fit signe au Mulâtre pour qu'il
dénouât la corde qui la tenait attachée par les
chevilles à un arbre. On la conduisit de nouveau près
255 du Colonel. À le voir, elle ressentit la même bouf-
fée de frémissant désir que lors de leur première
rencontre. Elle lui remit le discours et attendit,
cependant qu'il contemplait le morceau de papier
qu'il tenait du bout des doigts.

260 — Qu'est-ce que ça dit? finit-il par demander.

— Tu ne sais pas lire ?

— Tout ce que je sais faire, c'est la guerre, répliqua-t-il.

Elle lut le discours à voix haute. Elle le lui relut
265 deux fois encore, afin que son client pût le graver dans sa mémoire. Quand elle eut terminé, elle découvrit l'émotion qui se peignait sur le visage des hommes rassemblés pour l'écouter, et elle remarqua que l'enthousiasme faisait briller les yeux jaunes du
270 Colonel, convaincu qu'avec de telles paroles, le fauteuil présidentiel ne pouvait lui échapper.

— Si, après l'avoir entendu trois fois, les gars restent encore la bouche ouverte, c'est que ce truc a du bon, Colonel, opina le Mulâtre.

275 — Combien je te dois pour ton travail ? demanda le chef.

— Un *peso*, Colonel.

— C'est pas cher, fit-il en entrouvrant la bourse qu'il portait pendue à son ceinturon, renfermant
280 les restes de son dernier butin.

— En prime, tu as droit à un cadeau. Il te revient deux mots secrets, lui dit Belisa Crepusculario.

— Comment ça ?

Elle s'employa à lui expliquer que pour chaque
285 paiement de cinquante *centavos*, elle offrait au client un mot à son usage exclusif. Le chef haussa les épaules, car il se moquait bien de ce genre de présent, mais il ne souhaitait pas se montrer discourtois vis-à-vis de quelqu'un qui l'avait si bien servi. Elle s'ap-
290 procha alors sans hâte du siège en cuir de vache sur lequel il trônait et se pencha pour lui transmettre son cadeau. À ce moment-là, l'homme huma l'odeur de bête des bois qui émanait de cette femme, il sentit la chaleur de fournaise que dégageaient ses
295 hanches, le terrifiant frôlement de sa chevelure,

l'haleine de menthe sauvage qui susurrait à son oreille les deux mots secrets auxquels il avait droit.

— Ils sont à toi, Colonel, lui lança-t-elle en s'éloignant. Tu peux t'en servir quand il te semblera bon.

300 Le Mulâtre raccompagna Belisa jusqu'à l'orée du chemin, sans cesser de la contempler avec des yeux implorants de chien perdu, mais lorsqu'il tendit la main pour la toucher, elle arrêta son geste d'un flot de vocables inventés qui eurent le don de chasser en 305 lui tout désir, car il crut qu'il s'agissait d'une de ces malédictions sur lesquelles il est impossible de revenir.

Durant les mois de septembre, octobre et novembre, le Colonel prononça le discours un si grand 310 nombre de fois que s'il n'avait été confectionné de mots flambant neufs et garantis durables, l'usage aurait eu tôt fait de le réduire en cendres. Il parcourut le pays en tous sens, multipliant les entrées triomphales dans les villes, mais s'arrêtant également dans 315 les hameaux les plus reculés, là où seules quelques traces d'immondices révélaient une présence humaine, pour convaincre le corps électoral de lui apporter ses suffrages. Tandis qu'il parlait, juché sur une estrade au milieu de la place, le Mulâtre et ses 320 hommes distribuaient des bonbons et peignaient son nom sur les murs à l'aide d'une sorte de givre doré, mais nul ne prêtait cas à ces artifices de camelot, car tous étaient éblouis par la clarté de ses propositions et l'éclat poétique de son argumentation, gagnés à 325 leur tour par son formidable désir de corriger les erreurs de l'Histoire et, pour la première fois de leur vie, se laissaient aller à la joie. Au terme de la harangue du candidat, la petite troupe tirait des coups de pistolet en l'air, allumait des pétards, et

330 lorsqu'ils finissaient par se retirer, ils laissaient derrière eux un sillage d'espoir qui restait de nombreux
jours à planer dans l'air comme le somptueux souvenir d'une comète. Le Colonel devint vite l'homme
politique le plus populaire du pays. C'était un
335 phénomène jamais vu que cet homme surgi de la
Guerre civile, couvert de cicatrices et s'exprimant
comme un doyen de faculté, dont le prestige gagnait
peu à peu tout le territoire national, chavirant le
cœur de la Patrie. La presse s'occupa de lui. De loin
340 accoururent les journalistes pour l'interviewer, repro-
duire ses formules, et ainsi ne fit qu'augmenter le
nombre de ses partisans et de ses ennemis.

— Tout va bien pour nous, Colonel, lui dit le
Mulâtre au bout de douze semaines de succès
345 ininterrompus.

Mais le candidat ne l'écoutait point. Il se répétait
ses deux mots secrets, comme il lui arrivait de le faire
de plus en plus souvent. Il les prononçait chaque fois
que la nostalgie venait le meurtrir, il les murmurait
350 dans son sommeil, il les emportait avec lui dès qu'il
enfourchait sa monture, il les méditait juste avant
d'entamer son fameux discours, il se surprenait
à les savourer dans ses moments de distraction.
Toutes les fois que ces deux mots lui revenaient à
355 l'esprit, il sentait à nouveau la présence de Belisa
Crepusculario, et ses sens se troublaient au souvenir
de son odeur de bête des bois, de sa chaleur de fournaise, de son terrifiant frôlement, de son haleine de
menthe sauvage, tant et si bien qu'il se mit à aller
360 et venir comme un somnambule, et ses propres
hommes comprirent alors que sa vie tournerait court
avant d'atteindre le fauteuil présidentiel.

— Qu'est-ce qu'il t'arrive, Colonel ? l'interrogea
à maintes reprises le Mulâtre, jusqu'à ce qu'un beau
365 jour, n'en pouvant plus, son chef finît par lui avouer
que s'il se trouvait dans un état pareil, la faute en

était à ces deux mots qu'on lui avait enfoncés dans les entrailles.

370 — Dis-les-moi pour voir s'ils ne vont pas perdre leur pouvoir, lui demanda son fidèle lieutenant.

— Je ne te les dirai pas, ils n'appartiennent qu'à moi, riposta le Colonel.

Las de voir son chef se défaire comme un condamné à mort, le Mulâtre jeta son fusil sur son
375 épaule et s'en fut à la recherche de Belisa Crepusculario. Il la suivit à la trace à travers l'ample géographie du pays et finit par la retrouver dans un village du Sud, installée sous la toile de tente de son officine, débitant son sempiternel chapelet de
380 nouvelles. Il se planta devant elle, jambes écartées, l'arme au poing.

— Tu viens avec moi, ordonna-t-il.

Elle n'attendait que lui. Elle ramassa son encrier, plia la toile de tente, se couvrit les épaules de son
385 châle et monta sans mot dire sur la croupe de son cheval. Ils n'échangèrent pas le moindre signe de tout le trajet, car le désir qu'avait d'elle le Mulâtre s'était mué en rage, et seule la terreur que lui inspirait sa langue bien pendue le dissuadait de la mas
390 sacrer à coups de fouet. Il n'était pas davantage disposé à lui raconter que le Colonel errait comme une âme en peine, et que ce que tant d'années de combats n'avaient pas réussi à faire, un sortilège susurré à son oreille y était parvenu. Trois jours plus
395 tard, ils arrivèrent au campement et il conduisit aussitôt sa prisonnière jusqu'au Colonel, devant toute la troupe rassemblée.

— Je t'ai ramené cette sorcière pour que tu lui restitues ses mots, Colonel, et pour qu'en retour
400 elle te rende ta virilité, fit-il en appuyant le canon de son fusil contre la nuque de la fille.

Le Colonel et Belisa Crepusculario s'entre-
regardèrent longuement, se jaugeant à distance. Mais
quand elle s'avança et lui prit la main, à voir les yeux
405 carnassiers du puma se remplir d'une infinie
douceur, les hommes comprirent que leur chef ne
pourrait jamais se délivrer du maléfice de ces deux
mots démoniaques.

Isabel ALLENDE, *Les contes d'Eva Luna,* traduit par Carmen et
Claude Durand, Paris, © Arthème Fayard, 1991.

André
Brochu (1942-)

Ygg-027 émerge d'un drôle de cauchemar : dans un «monde en deçà» s'agitaient des formes bizarres pourtant très précises. Dans ce court texte étonnant, l'auteur québécois André Brochu observe avec humour et originalité les gestes quotidiens d'êtres étranges...

Professeur honoraire à l'Université de Montréal, André Brochu a enseigné la littérature française et québécoise de 1963 à 1997. Il a publié plus de vingt-cinq ouvrages (essais, recueils de poésie, romans et récits). Il a reçu le Prix du gouverneur général pour son récit *La croix du Nord* (1991) et le Grand Prix du Festival international de poésie pour *Delà* (1994). Brochu est en outre membre de l'Académie des lettres du Québec.

Un clair du tonnerre

Cela se passait très loin, des mondes en deçà. Une forme drôlement précise, animée et vraie comme si elle était là, s'introduisait dans un curieux espace occupé par un bloc allongé, assez bas. D'un côté du
5 bloc s'alignaient des axes surmontés de disques épais. La forme s'installa sur l'un d'eux. De l'autre côté, une forme semblable, mais couronnée d'un paquet de minces fils longs et luisants, émettait des bruits en direction de la première, qui réagissait de

10 même, puis se tournait vers un ballon de matière transparente, empli d'un liquide brun, presque noir. Elle s'emparait d'un cylindre creux, y versait le liquide et le poussait vers l'autre. Alors, d'une de ses extrémités préhensiles, la première forme soulevait
15 le cylindre, le portait à un trou qui s'ouvrait au bas de son renflement supérieur et y faisait pénétrer le liquide, dont s'échappait une discrète fumée blanche. L'opération s'accompagnait de petits bruits menaçants.

20 Las de son cauchemar, Ygg-027 s'éveilla tout d'un coup et fit tourner ses yeux autour de lui. Tout était calme. Il faisait un clair du tonnerre. À gauche, sa mère électrique projetait vers le ciel d'intenses rayons bleus.

25 — Tu as l'air tout remué, dit-elle. À quoi rêvais-tu ?

Il consulta son identificateur universel et répondit, avec un soupir :

— C'était un « homme » qui « prenait » un « café », servi par une « waitress ».

30 — Comme c'est étrange ! Es-tu bien sûr que ça existe ?

— Mon inconscient, tu le sais bien, est totalement incapable d'imagination.

André BROCHU, *La revue XYZ*, n° 11, automne 1987.

Dino Buzzati (1906-1972)

L'amour, quel bonheur ! Vous rentrez à la maison, la personne aimée est là, vous le sentez. Elle vous attend patiemment tout en préparant votre dessert préféré. Comme elle vous aime ! Pourtant, un doute s'insinue dans votre esprit… Que peuvent bien cacher ces cerises confites ? Dino Buzzati s'amuse ici à semer la méfiance, à brouiller l'image parfaite de l'amour. Sous sa plume, chaque geste devient suspect.

Consacré maître du récit fantastique, l'écrivain italien est également dessinateur et journaliste. S'inspire-t-il de faits divers pour écrire ses nouvelles ? Peut-être. Chose certaine, l'écriture concise à laquelle il doit s'astreindre comme journaliste l'aide sûrement à trouver le rythme, à créer le suspense.

Deux livres ont rendu Buzzati célèbre : un roman (*Désert des Tartares*, 1940) et un recueil de nouvelles duquel « Esclave » est tiré (*Le K*, 1956).

Esclave

Sans le faire exprès, par pur hasard, en ouvrant la porte de chez lui avec sa clef, Luigi ne fit aucun bruit.

Il en profita, pour le plaisir de faire une surprise, et avança doucement à pas de loup.

À peine entré, il avait senti que Clara était à la maison. Là-dessus il ne se trompait jamais. On sait

comment la présence d'une femme transforme l'atmosphère environnante. Il en éprouva un senti-
10 ment de consolation. Il l'aimait tant que chaque fois qu'il rentrait, si absurde que ce soit, il avait peur qu'entre-temps elle ne soit partie pour toujours.

Il arriva au bout du vestibule sans avoir fait grincer le plancher, continua avec moins de risque sur
15 les carreaux du couloir. Tout doucement il tendit le cou pour explorer la cuisine.

Ah ! Clara était là. Il la voyait de dos, à moins de deux mètres de lui. Debout, sans soupçonner le moins du monde la présence de Luigi, elle était
20 occupée à apprêter quelque chose sur la table. Rien qu'en regardant sa nuque il comprit qu'elle souriait. Quelle chère, quelle merveilleuse créature ! Elle préparait sans doute un de ses plats préférés et elle était tout heureuse en savourant à l'avance sa
25 satisfaction.

Soudain, elle se déplaça sur le côté, maintenant elle se présentait à Luigi de trois quarts, il apercevait la courbure ferme de sa joue, l'extrémité des cils, le bout de son nez si spirituel et impertinent,
30 l'ébauche de ses lèvres, qui effectivement étaient retroussées par un sourire (ou était-ce l'effort de l'attention ?).

Du visage adoré son regard glissa sur les mains maintenant visibles. Luigi put enfin voir ce que
35 Clara faisait.

Sur un plateau recouvert d'un dessus de broderie, une douzaine de petits gâteaux feuilletés avec une demi-cerise confite au milieu étaient disposés ; justement ceux qu'il savourait avec tant de plaisir : ils
40 semblaient parfaitement terminés. Pourtant Clara continuait à les manipuler comme pour leur donner une touche finale.

Mais quelle curieuse opération ! Avec deux doigts de la main gauche Clara détachait les cerises
45 confites, et à cet endroit même, avec une espèce de petite poire ou de petit flacon qu'elle tenait dans la main droite, elle laissait tomber – c'est du moins ce qu'il lui sembla – une pincée de poudre blanche. Ensuite elle reposait la cerise à sa place en la fixant
50 bien sur le feuilleté.

Comme Clara l'aimait ! Quelle autre femme aurait jamais eu pour lui, qui était un homme déjà vieux au physique plutôt ingrat, autant d'amoureuses attentions ? Et quelle fille splendide, quel type chic
55 et intéressant ! tous l'enviaient sûrement.

Méditant sur sa chance quasiment incroyable, Luigi était sur le point de révéler sa présence, quand il fut frappé par l'exceptionnelle concentration de Clara dans laquelle il y avait – il le remarqua seule-
60 ment maintenant – quelque chose de furtif, comme quelqu'un qui fait une chose défendue. Et soudain – coup de tonnerre dans un matin de soleil – il fut assailli par un soupçon horrible ; et si par hasard la poudre de la petite poire était du poison ?

65 Au même moment, par une association d'idées foudroyante, une foule de menus épisodes auxquels il n'avait pas fait attention lui revinrent à la mé-moire ; maintenant, mis bout à bout, ils prenaient un aspect inquiétant. Certaines froideurs de Clara, cer-
70 tains gestes de contrariété, certains regards ambigus, certaines insistances insolites pour qu'il mange da-vantage, pour qu'il reprenne de tel ou tel plat.

Avec un sursaut d'indignation Luigi cherche à repousser la pensée monstrueuse. Comment imagi-
75 ner une pareille absurdité ? Mais la pensée revient aussitôt avec un élan encore plus méchant. Et puis, tout d'un coup, ses rapports avec Clara se présen-tent sous un aspect nouveau, qu'il n'avait encore

jamais considéré. Est-il possible qu'une femme
80 comme Clara l'aime vraiment ? Quel motif, sinon
l'intérêt, peut la retenir à ses côtés ? En quoi con-
sistent les preuves de son affection ? Les câlineries,
les petits sourires, les attentions gastronomiques ?
C'est tellement facile pour une femme de simuler.
85 Et dans son cas l'attente impatiente d'un héritage
somptueux n'est-elle pas instinctive ?

À ce moment précis, Luigi pousse un soupir, elle
se retourne brusquement et pendant une fraction de
seconde, mais peut-être encore moins, peut-être
90 même n'est-ce pas vrai, peut-être est-ce un jeu de
son imagination surexcitée, le visage aimé a une
expression de terreur, mais immédiatement, avec
une rapidité incroyable, il se reprend, s'ouvrant de
nouveau au sourire.

95 « Dieu ! quelle peur tu m'as faite ! s'écrie Clara,
mais pourquoi ces plaisanteries, mon trésor ? »

Lui :

« Qu'est-ce que tu étais en train de faire ?

— Tu le vois, non ? Tes petits gâteaux…

100 — Et cette petite poire, qu'est-ce que c'est ?

— Quelle petite poire ? »

Clara montre ses mains ouvertes pour faire voir
qu'elle n'a rien, le flacon a disparu qui sait où.

« Mais si, cette poudre que tu mettais…

105 — Quelle poudre ? Tu as des visions, chéri ? Je
posais les cerises confites… Mais toi ? dis-moi plutôt :
qu'est-ce que t'a dit le médecin ?

— Bah ! j'ai l'impression qu'il n'y comprend pas
grand-chose… Il parle de gastrite… de cholécys-
110 tite… Le fait est que mes douleurs ne passent pas…
et je me sens chaque jour un peu plus faible.

— Oh ! vous autres, les hommes, il suffit que vous
ayez un bobo de rien du tout pour que vous vous

laissiez aller… Voyons, un peu de courage, ces petits
115 malaises tu les avais aussi dans le passé.

— Oui, mais jamais douloureux comme cette fois.

— Oh ! chéri, si c'était quelque chose de sérieux,
tu n'aurais plus d'appétit. »

Il la scrute, il l'écoute. Non. C'est impossible qu'elle
120 mente, c'est impossible qu'elle joue la comédie.
Mais la petite poire ou la petite fiole, il l'a vue clairement, où est-elle passée ? Avec une rapidité de pres-
tidigitateur Clara a-t-elle réussi à la cacher sur elle ?
Sur la table de la cuisine il n'y a rien, rien non plus
125 sur les autres meubles, par terre non plus, ni dans la
boîte aux ordures.

Maintenant il se demande : et pourquoi Clara
voudrait-elle m'empoisonner ? Pour hériter de moi ?
Mais comment peut-elle savoir qu'elle est mon héri-
130 tière universelle ? Je ne lui en ai jamais soufflé mot.
Et le testament, elle ne l'a pas lu.

Ne l'a-t-elle pas lu vraiment ? Un nouveau doute.
Luigi entre précipitamment dans son bureau, il
ouvre un tiroir, il en sort une boîte, de la boîte il tire
135 une enveloppe fermée qui porte la suscription :
Testament.

L'enveloppe est cachetée. Mais Luigi l'approche
de la lampe pour mieux voir. Étrange, à la lumière
frisante on remarque une bavure le long du rabat
140 mobile : comme si l'enveloppe avait été ouverte à la
vapeur puis refermée avec de la colle.

Une angoisse le prend. Peur de mourir ? Peur
d'être tué ? Non pire. La terreur de perdre Clara.
Parce que Luigi comprend qu'elle veut le tuer. Et
145 c'est fatal qu'il réagisse d'une façon ou d'une autre.
La démasquer ? La dénoncer ? La faire arrêter ? Leur
union se brisera de toute façon. Mais sans elle, sans
Clara, comment Luigi pourra-t-il vivre ?

Le besoin frénétique de lui parler, d'avoir une
150 explication et en même temps, l'espoir obstiné de
s'être trompé, que tout ne soit qu'une lubie, que le
poison n'existe pas (mais dans le fond de son cœur
il sait très bien qu'il existe).

«Clara», appelle-t-il.

155 Sa voix depuis l'office :

«Allons, Luigi, viens, c'est servi.

— Je viens», répond-il.

Il passe dans la salle à manger et s'assied. Il y avait
une soupe au riz et à la tomate.

160 «Clara, dit-il.

— Qu'y a-t-il ? fait-elle avec un sourire.

— Je dois te dire une chose.

— Comme tu es mystérieux…

— Il y a quelques instants, quand je suis entré, et
165 que tu étais en train de préparer les gâteaux, et que
je t'ai vue… en somme j'ai besoin de te le dire… un
besoin absolu…»

Elle le regarde toujours en souriant : était-elle
innocente ? Était-ce la peur ? Était-ce l'ironie ?

170 «Quand je suis entré, poursuivit-il, je t'ai vue pendant que tu travaillais et tu tenais à la main un
machin, une espèce de petite poire, et il m'a semblé qu'avec ce truc tu mettais quelque chose sur les
gâteaux.

175 — Tu as eu la berlue, fit-elle très tranquillement.

— J'aime mieux ça.

— Pourquoi ?»

Elle avait un tel accent de sincérité qu'il se demanda si par hasard il n'avait pas rêvé. Mais la fièvre le
180 harcelait.

«Écoute, Clara, je ne me sentirai pas tranquille si je ne te dis pas tout… Quand je t'ai vu faire cette chose…

185 — Mais peut-on savoir quelle chose enfin? Tu rêves?…

— Laisse-moi finir… pendant un instant… c'est ridicule, je le sais…»

En lui-même il tremblait, tandis que le moment inévitable approchait, c'était peut-être la dernière
190 fois qu'il parlait avec Clara, la dernière fois qu'il la voyait, et cette pensée le faisait devenir fou; et pourtant il lui était impossible de se taire, impossible.

«… Pendant un instant… une idée absurde… ne me regarde pas comme ça… je préfère être sincère…
195 le soupçon m'est venu que tu…

— Que je quoi?… et le sourire se changeait en un rire ouvert.

— Il y a de quoi rire, je le sais… le soupçon, figure-toi, que tu voulais m'empoisonner…»

200 En le fixant dans les yeux, Clara continuait à rire mais ce n'était pas un rire joyeux, il était glacé, c'était une lame de métal affilée. Et puis elle serra les dents; et sa voix était chargée de haine.

«Ah! c'est comme ça? Tu en es là?… C'est ça ta
205 confiance? Ça ton amour?… Ça fait déjà pas mal de temps que je t'observe… Et dire que je te faisais des petits gâteaux… Et maintenant tu viens me dire qu'ils sont empoisonnés, hein?»

Il était éperdu:

210 «Écoute, Clara, ne te mets pas en colère, ne…

— Ah! ils sont empoisonnés mes gâteaux? Tu as peur pour ta petite santé, monsieur a peur d'avoir bobo? Alors tu sais ce que je vais faire? Je vais les jeter aux ordures.»

215 Se levant de table elle prit le plateau avec les feuilletés et se dirigea vers la cuisine en criant toujours plus haut :

«Je vais les jeter aux ordures… Mais je ne resterai pas une minute de plus dans cette baraque. Il y a déjà
220 pas mal de temps que j'en ai plein le dos. Je m'en vais… je m'en vais. Et j'espère bien grâce à Dieu ne te revoir jamais. »

Atterré, Luigi la suivit :

«Non, Clara, je t'en supplie, ne fais pas cela, je
225 plaisantais, je t'en supplie, donne-moi tes petits gâteaux.

— Non, fit-elle, maintenant je ne te les donnerais pas, même si tu devais en crever. »

Pour la retenir il la prit par la taille. Elle s'arrêta
230 impassible.

«Sois gentille, donne-moi les petits gâteaux. »

Clara se tourna, tenant haut le plateau. Il tendit la main.

«Je t'ai dit nooon. Je les jette aux ordures. Et puis
235 je m'en vais, tu as compris ? »

Il se jeta à genoux, lui étreignant les jambes :

«Clara, je t'en supplie, gémissait-il, tu ne peux pas t'en aller, tu ne peux pas, Clara, sois gentille, donne-moi les gâteaux.

240 — Demande pardon, fit-elle victorieuse, toujours le plateau levé.

— Oui. Clara, pardonne-moi.

— Dis : "pardonne-moi" trois fois.

— Pardonne-moi, pardonne-moi, pardonne-moi.

245 — Je t'en donnerai un, dit la femme.

— Non, je les veux tous.

— Bon, mange, alors, mais à genoux », et elle abaissa son plateau.

Clara était encore là, Clara ne partirait pas. Avec
250 un abject soulagement de tout son être, Luigi prit
un petit gâteau et mordit voracement dedans. La
mort était un paradis, puisqu'elle venait d'elle.

Dino BUZZATI, *Le K*, traduit par Jacqueline Remillet, Paris,
Les Éditions Robert Laffont, 1967.

Italo
Calvino *(1923-1985)*

1944. La Deuxième Guerre mondiale (1939-1945) fait rage en Europe. Italo Calvino, né à Cuba et émigré en Italie, a 20 ans. Il y a déjà cinq ans qu'il observe les ravages de la guerre : maisons bombardées, morts par milliers, délation entre compatriotes… Il s'engage dans la Résistance, un mouvement qui lutte contre le fascisme.

Dans «Le mouton noir» (1944), nouvelle extraite de *La grande bonace des Antilles*, Calvino tente de comprendre les mécanismes de cette interminable guerre.

Prise au pied de la lettre, cette nouvelle est drôle. Mais attention ! Il faut la lire sérieusement ; sa logique est implacable. Entre les lignes, on découvre la véritable Histoire, passionnante et toujours d'actualité lorsqu'on a conscience de ce qui se passe autour de soi, dans son milieu, sa ville, son pays et… sa planète. «Le mouton noir» s'impose comme une véritable critique sociale.

Le mouton noir

Il était un pays où il n'y avait que des voleurs.

La nuit, tous les habitants sortaient avec des pinces-monseigneur et des lanternes sourdes pour aller cambrioler la maison d'un voisin. Ils rentraient
5   chez eux à l'aube, chargés, et trouvaient leur maison dévalisée.

Ainsi, tous vivaient dans la concorde et sans dommage, puisque l'un volait l'autre, et celui-ci un autre

encore, et ainsi de suite, jusqu'à ce qu'on en arrive
10 au dernier qui volait le premier. Le commerce, dans
ce pays, ne se pratiquait que sous forme d'em-
brouille tant de la part de celui qui vendait que de
la part de celui qui achetait. Le gouvernement était
une association de malfaiteurs vivant au détriment
15 de ses sujets, et les sujets, de leur côté, avaient pour
seul souci de frauder le gouvernement. Ainsi, la vie
suivait son cours sans obstacles, et il n'y avait ni
riches ni pauvres.

Or, on ne sait comment, il arriva que dans ce pays
20 on trouva pourtant un homme honnête. La nuit, au
lieu de sortir avec un sac et une lanterne, il restait
chez lui à fumer et à lire des romans.

Les voleurs arrivaient et s'ils voyaient la lumière
allumée ne montaient pas.

25 Cela dura quelque temps, puis il fallut lui expliquer que s'il voulait vivre sans rien faire, ce n'était
pas une raison pour ne pas laisser agir les autres.
Chaque nuit qu'il passait chez lui, c'était une famille
qui ne mangeait pas le lendemain.

30 L'homme honnête ne pouvait rien opposer à ces
raisonnements. Il se mit, lui aussi, à sortir le soir et
à revenir à l'aube, mais il n'était pas question de
voler. Il était honnête, il n'y avait rien à faire. Il allait
jusqu'au pont et restait à regarder l'eau couler. Il
35 revenait chez lui et trouvait sa maison dévalisée.

En moins d'une semaine, l'homme honnête se
retrouva sans un sou, sans rien à manger, la maison
vide. Et jusque-là, il n'y avait rien de trop grave, car
c'était de sa faute ; le malheur était que, de cette
40 manière d'agir, naissait un grand bouleversement.
Car il se faisait tout voler, mais pendant ce temps il
ne volait rien à personne ; il y avait donc toujours
quelqu'un qui, rentrant chez lui à l'aube, trouvait sa
maison intacte : la maison qu'il aurait dû, lui, dévali-
45 ser. Le fait est que, au bout de peu de temps, ceux

qui n'étaient plus cambriolés devinrent plus riches que les autres et ne voulurent plus voler. Et d'autre part, ceux qui venaient pour voler dans la maison de l'homme honnête la trouvaient toujours vide ; ainsi
50 devenaient-ils pauvres.

Pendant ce temps, ceux qui étaient devenus riches prirent l'habitude, eux aussi, d'aller la nuit sur le pont, pour regarder l'eau couler. Cela augmenta la confusion, car il y en eut beaucoup d'autres qui
55 devinrent riches et beaucoup d'autres qui devinrent pauvres.

Or les riches comprirent qu'en allant la nuit sur le pont ils deviendraient pauvres en peu de temps. Et ils pensèrent : « Payons des pauvres qui iront voler
60 pour notre compte. » On rédigea les contrats, on établit les salaires, les commissions : naturellement, c'étaient toujours des voleurs, et ils cherchaient à se tromper mutuellement. Mais, comme à l'accoutumée, les riches devenaient de plus en plus riches
65 et les pauvres toujours plus pauvres.

Il y avait des riches si riches qu'ils n'avaient plus besoin de voler ni de faire voler pour continuer à être riches. Mais s'ils s'arrêtaient de voler ils devenaient pauvres parce que les pauvres les dévalisaient.
70 saient. Alors ils payèrent les plus pauvres parmi les pauvres pour protéger leurs biens des autres pauvres, et ils instituèrent ainsi la police et construisirent les prisons.

De cette manière, peu d'années après l'arrivée de
75 l'homme honnête, on ne parlait plus de voler ou d'être volé, mais seulement de riches ou de pauvres ; et pourtant, ils restaient toujours tous des voleurs.

D'homme honnête il n'y avait eu que celui-là, et il était vite mort, de faim. 🖋

Italo CALVINO, *La Grande Bonace des Antilles,* traduit de l'italien par Jean-Paul Maganaro, Paris, © Éditions du Seuil, 1995.

Roch Carrier (1937-)

À la première lecture, cette nouvelle de Roch Carrier peut paraître déroutante. Est-ce la paix ou la guerre qui étend son encre sur le monde ? Le dénouement nous laisse sur l'idée d'un éternel recommencement… de la violence…

Dans « L'encre », Carrier démontre une imagination fertile, à l'aise dans l'écriture fantastique. Cette nouvelle est tirée du recueil *Jolis deuils, petites tragédies* (1964), premier livre en prose de cet auteur. Au moment de la publication de ce recueil, Carrier a 27 ans et revient d'un séjour d'études en France, le rêve des jeunes artistes québécois de l'époque. La critique reçoit bien son livre. Quelques-uns de ses contes sont adaptés pour la scène par la troupe du Théâtre sans fil, laquelle gagne un prix au Festival international de marionnettes de Zagreb. Plusieurs romans suivent, dont *La guerre, yes sir!* (1968), qui assurent la renommée de Roch Carrier des deux côtés de l'Atlantique.

L'encre

Dimanche, l'on signait le traité de paix. L'un des généraux apposa son parafe au bas des clauses. Était-il trop solennel ? Était-il nerveux ? Sa plume piqua dans le parchemin et cracha.

5   Le général regarda ses doigts tachés. Impuissant, il vit aussi le pâté s'épandre sur la page. Le parchemin lentement buvait l'encre. Le général se fit

conduire au lavabo. L'encre résista à l'eau. Il revint distribuer des poignées de main, glorieux de la paix
10 signée.

La tache s'était étendue. La moitié du parchemin était noircie. Des signatures et une partie du texte du traité étaient noyées dans l'encre. Bientôt le parchemin entier fut de l'unique couleur noire.

15 Quand sonna l'heure de la fermeture de l'édifice, la tache avait franchi les limites du document, elle poursuivait sa marche glorieuse sur la table. Le gardien ferma les volets, verrouilla les portes, traversa dix couloirs en claudiquant et sortit vers le bistrot.

20 Le lundi, à son arrivée, la tache s'était emparée des tapis, des murs, du plafond ; elle s'était imposée aux lustres et aux fenêtres. Le gardien affolé referma la porte et la barricada. Inutile. L'encre rampa le long des couloirs, se glissa sous les portes. Nulle brosse,
25 nul savon ne s'avérèrent efficaces à lui barrer le passage. Le soir, elle avait envahi les coins les plus secrets de l'édifice.

Les sapeurs-pompiers, les gendarmes, les soldats, les creuseurs de fossés, les ingénieurs en barrages
30 furent convoqués ; l'on cerna l'édifice. L'encre triompha du dévouement et de l'initiative unanimes. Après s'être engagée dans les rues de la ville, elle gagna les parcs, teignit l'eau des fontaines, changea la couleur des marronniers et de leurs feuilles.

35 Plus la tache s'étalait, plus sa faim devenait dévorante. Le mardi, on ne trouvait plus une seule maison épargnée par l'encre noire. Elle coiffait même la haute flèche de la cathédrale. La ville entière semblait avoir été trempée dans un immense encrier.

40 Le mercredi, des nouvelles provenant des villes voisines signalaient l'approche de l'encre ; le blé des champs se teintait de noir, le gazon semblablement ; les pattes des bêtes commençaient à noircir ; l'encre

montait aux fondements des maisons. La tache se
45 déployait à la vitesse d'un ouragan. Ce jour-là, la
furie noire compléta l'occupation du pays entier, qui
était vaste.

Elle sauta, le jeudi, les frontières. Commençait
l'invasion. Les patriotes déclarèrent la guerre à l'en-
50 vahisseur. Les nations s'allièrent pour se déchiqueter
mieux : incendies, bombardements, explosions, sang !

Le vendredi : incendies, bombardements, explosions, sang !

Impitoyable, l'encre étendait son empire. Son
55 ombre pesait sur dix pays. La mer allait bientôt s'a-
bandonner à elle. Il devenait futile de se battre. Mais
on continua encore un peu : pour l'honneur. Ce fut
le samedi, très tard, que fut ordonné le cessez-le-feu.

Le traité de paix fut signé le dimanche suivant.
60 L'un des généraux apposait son parafe au bas des
clauses. Était-il trop solennel ? Était-il nerveux ? Sa
plume piqua dans le parchemin et cracha.

Rock CARRIER, *Jolis deuils*, Montréal, Les Éditions du Jour, 1964,
© Éditions internationales Alain Stanké.

Roald Dahl (1916-1990)

Un lieu de vacances enchanteur baigné de soleil,
des jeunes qui s'amusent dans une piscine… Un étrange
petit homme en blanc surgit dans ce décor idyllique.
Il propose un pari, et l'inquiétude s'installe.
Les personnages se laissent entraîner dans un piège
absurde et angoissant. Jusqu'au dénouement, Roald Dahl
laisse planer le mystère.

Sur un rythme à la fois lent et haletant, cet auteur
britannique nous entraîne dans un sentier où le bon sens
est sérieusement malmené. Son écriture brillante et
sa vive imagination font de lui un conteur de la lignée
des grands auteurs de fantastique. Il a également écrit
plusieurs romans destinés aux enfants, dont *Charlie
et la chocolaterie* (1964).

Un homme du Sud

Il était près de six heures du soir et je me dis que
c'était le moment de me payer un verre de bière,
puis d'aller m'asseoir au bord de la piscine pour
profiter des rayons du soleil couchant.

5   Je me dirigeai donc vers le bar, je pris mon demi[1]
et le transportai vers la piscine, en passant par le
jardin.

    C'était un beau jardin avec des pelouses soignées,
des parterres d'azalées et de grands cocotiers. Le
10 vent qui était violent faisait siffler et crépiter les

[1] Bière pression.

feuilles des palmiers comme un feu de bois. Je pus voir les énormes grappes de noix de coco se balancer sous l'éventail du feuillage.

Tout le long de la piscine, il y avait des chaises
15 longues, des tables blanches piquées de larges parasols aux couleurs éclatantes et des estivants bronzés en tenue de plage. Dans l'eau de la piscine, je vis trois ou quatre jeunes filles et une douzaine de jeunes gens qui s'éclaboussaient bruyamment en jouant
20 avec un gros ballon de caoutchouc.

Je restai debout pour suivre leurs ébats pendant quelques instants. Les jeunes filles étaient anglaises, elles habitaient l'hôtel. Je ne savais rien des garçons, mais ils étaient manifestement américains. C'étaient
25 sans nul doute des cadets marins du vaisseau-école américain entré dans le port le matin même.

J'allai m'asseoir sous un parasol jaune où attendaient quatre chaises vides. Je m'installai confortablement, le verre à la main, en fumant une cigarette.

30 Il était agréable d'être assis au soleil, en buvant, en fumant. Il était agréable de voir évoluer les baigneurs dans l'eau verte.

Les marins américains et les jeunes Anglaises avaient l'air de très bien s'entendre. Ils plongeaient
35 d'une planche flottante, puis se faisaient attraper par les jambes.

Soudain, j'aperçus un petit homme plutôt âgé qui longeait à petits pas sautillants le bord de la piscine. Il était tout de blanc vêtu et se déplaçait très rapi-
40 dement, se hissant à chaque pas sur la pointe des pieds. Coiffé d'un large chapeau panama, il vint à vives enjambées, en regardant les gens et les chaises.

Il s'arrêta devant moi et sourit, découvrant deux rangées de dents minuscules, inégales et ternes. Je lui
45 rendis son sourire.

« Esscusez, zé peux m'asseoir ici ? »

— Certainement, dis-je, je vous en prie. »

Après avoir examiné la solidité de la chaise, il s'assit et croisa les jambes. Il portait des chaussures de
50 daim blanc parsemées de petits trous d'aération.

«Belle soirée, dit-il. Toutes les soirées sont belles à la Jamaïque. » Son accent pouvait être aussi bien italien qu'espagnol, mais j'étais à peu près certain d'avoir affaire à une espèce de Sud-Américain. Vu
55 de près, il était vieux. Il paraissait âgé de soixante-huit ou soixante-dix ans.

«Oui, dis-je. Il fait bon ici.

— Et pouvez-vous mé dire qui sont ces zens ? Cé né sont pas des zens de l'hôtel. » Il parlait des
60 baigneurs.

«Je crois que ce sont des marins américains, lui dis-je. Ce sont de jeunes Américains qui se préparent à devenir marins.

— Des Américains, z'en étais sûr. Il n'y a qué les
65 Américains pour faire tant de bruit. Vous n'êtes pas américain, non ?

— Non, dis-je. Je ne suis pas américain. »

Soudain, un des jeunes marins surgit devant nous. Il était tout ruisselant d'eau et une des jeunes
70 Anglaises l'accompagnait.

«Ces chaises sont-elles prises ? demanda-t-il.

— Non, répondis-je.

— Puis-je m'asseoir ?

— Je vous en prie.

75 — Merci », dit-il. Il avait une serviette éponge enroulée à la main. Une fois assis, il la déroula pour faire apparaître un paquet de cigarettes et un briquet. Il tendit le paquet à la jeune fille et elle refusa. Puis il me le présenta et je pris une cigarette. Quant
80 au petit homme, il dit : «Merci, non, zé crois qué z'ai des cigares. » Il exhiba un étui en peau de crocodile

pour en extraire un cigare. Il coupa le bout à l'aide d'un canif qui comportait aussi une paire de petits ciseaux.

85 « Permettez-moi de vous donner du feu, dit le jeune Américain, avançant son briquet.

— Ça né va pas fonctionner par cé vent.

— Mais si. Il fonctionne toujours ! »

Le petit homme inclina la tête d'un côté pour
90 regarder le garçon du coin de l'œil.

« Tou-zours ? fit-il lentement.

— Toujours. Il n'a jamais été en panne. Pas avec moi, en tout cas. »

La tête toujours basculée d'un côté, le petit
95 homme regardait le garçon. « Tiens, tiens. Ainsi vous dites qué cé fameux briquet fonctionne touzours. C'est bien cé qué vous dites ?

— C'est bien ça », dit le garçon. Il pouvait avoir dix-neuf ou vingt ans. Son long visage au nez d'oi-
100 seau était couvert de taches de rousseur. Il n'était pas très bronzé. Sa poitrine aussi portait des taches de son et quelques touffes d'un poil roussâtre. Il tenait le briquet dans sa main droite, prêt à le mettre en marche. « Il ne rate jamais un coup », dit-il, souriant
105 de sa propre vantardise volontairement exagérée. « Je vous promets qu'il marchera.

— Une seconde, s'il vous plaît. » La main qui tenait le cigare se redressa, la paume en avant, comme pour arrêter la circulation. « Zuste une seconde. » Les
110 yeux toujours fixés sur le jeune garçon, il parlait d'une voix étrangement douce et blanche. « Et si nous engagions un petit pari ? » Il sourit. « Un petit pari au suzet de votre briquet ?

— Je veux bien, dit le garçon. Pourquoi pas ?

115 — Vous aimez les paris ?

— Bien sûr, je parie souvent ! »

L'homme se tut et examina son cigare. Ses façons, je dois le dire, me déplaisaient plutôt. Manifestement, il allait trop loin dans son désir d'embarras-
120 ser le garçon. Et, en même temps, il me donnait l'impression d'avoir sa petite idée derrière la tête. Un petit secret bien à lui.

Il leva les yeux sur le garçon et dit lentement: «Moi aussi, z'aime parier. Pourquoi ne ferions-nous
125 pas un beau pari? Un gros pari?

— Attendez, attendez, dit le garçon. C'est impossible. Je peux parier un dollar au plus. Ou quelques shillings², si vous voulez.»

Le petit homme leva de nouveau la main. «Écoutez-
130 moi. Nous allons convenir du pari. Puis nous allons monter dans ma chambre où il n'y a pas de vent. Et zé parie qué vous né pourrez pas allumer cé fameux briquet dix fois de suite sans rater un coup!

— Je gage que je le pourrai, dit le garçon.

135 — Alors, tant mieux. Va pour le pari, oui?

— D'accord.

— Écoutez. Zé vais vous proposer quelque chose. Zé suis un homme riche. Et zé suis sport³ aussi. Écoutez. Devant l'hôtel, il y a ma voiture. Trrès
140 belle voiture. Américaine comme vous. Cadillac…

— Hé, attendez une minute, dit le garçon en riant. Je ne peux accepter ce pari. C'est une folie!

— Pas folie du tout. Vous allumez briquet dix fois de suite, Cadillac est à vous. Vous voulez bien avoir
145 Cadillac, oui?

— Bien sûr que j'aimerais avoir une Cadillac, dit le garçon sans cesser de rire.

— Trrès bien. Ça va. Nous allons faire pari et moi zé vous offre Cadillac.

150 — Mais moi? Qu'est-ce que je vous offre?»

² Ancienne unité monétaire anglaise, valant un vingtième d'une livre.

³ Beau joueur.

Le petit homme enleva avec soin la bande rouge du cigare qu'il n'avait toujours pas allumé. «Mon ami, zé n'exizerai zamais de vous cé qué vous né pouvez pas donner. Vous comprenez?

155   — Que me demandez-vous alors?

— Zé vous lé rends facile.

— D'accord, vous me le rendez facile, et encore?

— Une toute petite chose dont vous pourrez vous passer trrès bien. Et quand vous n'aurez plus cette **160** chose, vous né vous sentirez pas trop mal. Vrrai?

— Par exemple?

— Par exemple, le petit doigt de votre main gauche.

— Mon *quoi?*» Le garçon cessa de ricaner.

165   «Oui. Pourquoi pas? Vous gagnez, vous avez voiture. Vous perdez, zé prends petit doigt

— Je ne comprends pas. Vous prenez le doigt? Qu'entendez-vous par là?

— Zé lé coupe.

170   — C'est une idée folle. Je parie un dollar et rien d'autre.»

Le petit homme s'appuya sur sa chaise, se tapotant les épaules. «Bien, bien, bien, dit-il. Zé né vous comprends pas. Vous dites qué briquet fonctionne **175** touzours et vous né voulez pas faire pari. Alors, n'en parlons plus, tant pis!»

Le garçon demeura silencieux, regardant fixement les baigneurs de la piscine. Puis il se rappela qu'il n'avait pas allumé sa cigarette. Il la mit entre ses **180** lèvres, arrondit les mains en coquille et mania la roulette du briquet. Une petite flamme jaune jaillit aussitôt et la coquille de ses mains empêcha le vent de l'éteindre.

«Pourrais-je avoir du feu? dis-je.

185 — Euh, excusez-moi. J'avais complètement oublié. »

J'étendis la main pour recevoir le briquet, mais le garçon se leva pour me donner du feu lui-même.

«Merci», dis-je et il se rassit.

«Vous vous plaisez ici? demandai-je.

190 — Beaucoup, dit-il. C'est un endroit épatant. »

Puis il y eut un silence et je constatai que le petit homme avait réussi à troubler le garçon avec ses propos absurdes. Ce dernier paraissait calme, mais un peu tendu. Puis il se mit à remuer sur sa chaise, à se
195 frotter la poitrine, à se gratter la nuque. Il posa les mains sur ses genoux et ses doigts se mirent à pianoter sur les rotules. Enfin, il tapa du pied :

«Maintenant, revenons à votre pari, dit-il. Vous dites que nous devons monter dans votre chambre
200 et si mon briquet fonctionne dix fois de suite je gagne une Cadillac. Si je ne réussis pas à le faire marcher dix fois, je perds le petit doigt de la main gauche. C'est bien cela?

— Certainement. C'est lé pari. Mais zé vois qué
205 vous avez peur.

— Que faut-il faire si je perds? Dois-je tendre mon petit doigt pour que vous le coupiez?

— Oh! non! Cé né serait pas bon. Vous pourriez être tenté de refuser. Cé qué zé vais faire? Atta-
210 cher une de vos deux mains à la table avant de commencer. Zé serai debout près dé vous avec mon couteau, prêt à vous couper lé doigt si votre briquet né marche pas.

— De quelle année est la Cadillac? demanda le
215 garçon.

— Esscusez. Zé né comprends pas.

— Quelle année… quel âge?

— Ah! Quel âge? Oui. L'année dernière. Toute

neuve. Mais zé vois qué vous né voulez pas parier.
220 Les Américains né sont zamais bons zoueurs. »

Le garçon se tut un instant. Il regarda d'abord la petite Anglaise, puis il me regarda. « Si, dit-il enfin, d'une voix tranchante. Je veux parier.

— Bien ! » Le petit homme battit des mains. « Ça
225 va. Nous allons monter chez moi. Et vous, monsieur, dit-il en se tournant vers moi, vous aurez peut-être la bonté dé… dé… comment vous dites… dé… dé faire l'arbitre, voilà. » Il avait des yeux pâles presque incolores, percés de minuscules pupilles noires.

230 « C'est que, dis-je, je trouve ce jeu insensé. Je n'aime pas beaucoup ce genre de pari.

— Moi non plus, fit entendre la jeune Anglaise qui, jusque-là, n'avait rien dit. À mon avis, c'est un pari stupide et ridicule.

235 — Avez-vous réellement l'intention d'amputer d'un doigt ce jeune homme s'il perd ? demandai-je.

— Parfaitement. Et zé lui donne Cadillac s'il gagne. Venez maintenant. Nous allons monter dans ma chambre. »

240 Il se leva. « Vous voulez peut-être vous changer avant ? demanda-t-il.

— Non, répondit le garçon. J'y vais comme ça. » Puis il s'adressa à moi : « Je crois qu'il vaut mieux que vous veniez faire l'arbitre.

245 — Bon, dis-je. J'y vais, mais je répète que je n'aime pas ce pari.

— Vous venez aussi, dit-il à la jeune fille. En spectatrice. »

Le petit homme nous précéda sur le chemin de
250 l'hôtel, de son pas plus sautillant encore que tout à l'heure. Nous traversâmes le jardin.

«Z'habite annexe, dit-il. Vous voulez voir voiture avant? Elle est là.»

Il nous emmena devant l'entrée principale de l'hô-
255 tel et nous montra du doigt une Cadillac vert pâle qui stationnait non loin de la porte.

«C'est elle. La verte. Elle vous plaît?

— En effet, c'est une jolie voiture, dit le garçon.

— Tant mieux. Nous allons monter pour voir si
260 vous pouvez la gagner.»

Nous le suivîmes au premier étage de l'annexe. Il ouvrit la porte et nous pénétrâmes dans une grande et belle chambre à deux lits. Au pied d'un de ces deux lits était jeté un peignoir de femme.

265 «D'abord, dit le jeune homme, nous allons boire un petit dry⁴.»

> ⁴ Cocktail à base de vermouth blanc et de gin.

Les bouteilles se trouvaient dans un coin, sur une petite table où il y avait aussi un shaker, de la glace et beaucoup de verres. Il se mit à préparer les dries,
270 mais, entre-temps, il avait sonné. On frappa à la porte et une servante de couleur entra.

«Ah!» dit-il. Il prit la bouteille de gin, sortit un portefeuille de sa poche et en tira un billet d'une livre⁵.

> ⁵ Unité monétaire anglaise.

275 «Vous allez faire quelque chose pour moi, s'il vous plaît», dit-il à la servante en lui tendant le billet.

«Gardez-lé, dit-il. Nous allons zouer au petit zeu ici et vous allez m'apporter deux çoses, non, trois çoses. Il me faut des clous. Il me faut un marteau.
280 Et puis il me faut un couteau à dépécer, un bon couteau de bouçer. Vous l'emprunterez à la cuisine. Vous m'apporterez tout ça, oui?

— Un *couteau à dépécer*?» La servante ouvrit de grands yeux et joignit les mains. «C'est un vrai
285 couteau à dépecer que vous voulez?

— Oui, oui, c'est bien cela. Allez mé lé chercher maintenant.

— Oui, monsieur. Je tâcherai, monsieur. J'y vais. »
Et elle disparut.

290 Le petit homme nous servit les dries. Nous nous mîmes à les siroter, debout. Le garçon au long visage taché de son, au nez pointu, torse nu dans son petit short marron fané. La petite Anglaise blonde et osseuse dans son costume de bain bleu pâle qui, par-
295 dessus son verre, ne cessait de regarder le garçon. Et le petit homme dans son beau complet immaculé. Il buvait son dry, le petit homme, en regardant la jeune fille au maillot bleu ciel. Je me demandais ce que je venais faire dans tout cela. Le petit homme
300 avait l'air de prendre son histoire de pari au sérieux. Y compris l'amputation du doigt. Et si le garçon perdait ? Nous serions obligés de le transporter à l'hôpital, dans la Cadillac qu'il n'aura pas gagnée. Quelle belle histoire ! Inutile et absurde.

305 « Ne trouvez-vous pas que c'est un pari insensé ? dis-je.

— Je trouve que c'est un très beau pari », répon-dit le garçon. Il avait déjà vidé un verre de dry.

« Moi, je trouve que c'est un pari stupide et ridi-
310 cule, dit la jeune fille. Que ferez-vous si vous perdez ?

— Qu'à cela ne tienne. En cherchant bien, je ne peux me souvenir de m'être jamais servi du petit doigt de ma main gauche. Le voici. » Il leva le petit
315 doigt en question. « Le voici. Il ne m'a jamais rendu le moindre service. Alors, pourquoi hésiter à le jouer ? Je trouve que c'est un beau pari. »

Le petit homme sourit et nous versa à boire.

« Avant dé commencer, dit-il, zé remettrai la clef
320 de la voiture à… à l'arbitre. » Il sortit la clef de sa

poche et me la tendit. « Quant aux papiers, dit-il, ils sont dans la poche dé la voiture. »

La servante de couleur revint, tenant d'une main un petit couteau de boucher, de l'autre un marteau
325 et une boîte de clous.

« Parfait ! Vous avez tout. Merci, merci. Vous pouvez partir. » Il attendit que la servante eût refermé la porte, puis il posa les outils sur l'un des deux lits et dit : « Maintenant, nous pouvons commencer,
330 oui ? » Puis, s'adressant au garçon : « Aidez-moi, s'il vous plaît. Nous allons déplacer cette table. »

C'était une table rectangulaire déguisée en bureau comme on en trouve dans les chambres d'hôtel. Avec un tampon buvard, un encrier, des plumes et
335 du papier à lettres. Ils poussèrent le meuble vers le milieu de la pièce et enlevèrent l'attirail qui s'y trouvait.

« Et maintenant, dit le petit homme, une chaise. » Il prit une chaise et l'approcha de la table. Il parais-
340 sait vif et agité comme quelqu'un qui organise des jeux d'enfants à un bazar de charité. « Et maintenant, les clous. Zé vais mettre les clous. » Il alla les chercher et en planta deux dans le dessus de la table, à coups de marteau.

345 Nous étions là, le garçon, la jeune fille et moi, le verre à la main, à voir le petit homme à l'œuvre. Il venait de planter les deux clous, à six pouces de distance. Il ne les enfonça pas tout à fait, laissant dépasser quelques millimètres de chacun. Puis, du bout
350 des doigts, il examina la solidité de l'ouvrage.

On eût dit qu'il n'avait jamais fait autre chose. Pas une seconde d'hésitation. De la table aux clous, du marteau au couteau de cuisine, il savait exactement ce qu'il lui fallait et comment s'en servir.

355 « Et maintenant, dit-il, il né nous manque plus qu'une ficelle. » Il finit par trouver un bout de ficelle.

« Parfait. C'est presque fini. Voulez-vous vous asseoir ici, s'il vous plaît ? » dit-il au garçon.

Le garçon se débarrassa de son verre et s'assit.

360 « Mettez votre main gauche entre ces deux clous. C'est pour qué z'y attache votre main. Parfait. Maintenant, zé vais attacher votre main à la table. Voilà. »

Il enroula la ficelle autour du poignet du garçon, 365 puis autour de la partie large de sa main. Enfin, il l'attacha solidement avec deux clous. C'était du travail bien fait. À présent, le garçon était incapable de retirer la main. Mais il lui était possible de remuer les doigts.

370 « Maintenant, s'il vous plaît, serrez lé poing. Serrez lé poing, mais laissez votre petit doigt étendu sur la table. Excellent ! Ex-cellent ! Nous sommes prêts. Avec votre main droite, vous manierez lé briquet. Une seconde, s'il vous plaît ! »

375 Il bondit vers le lit et s'empara du couteau. Puis il revint à la table, le couteau à la main.

« Sommes-nous tous prêts ? fit-il. Monsieur l'arbitre, voulez-vous donner lé signal du départ ? »

La petite Anglaise, dans son maillot bleu ciel, était 380 debout derrière la chaise du garçon. Elle ne disait rien. Le garçon, qui tenait son briquet dans la main droite, regardait le couteau en silence. Quant au petit homme, c'est moi qu'il regardait.

« Êtes-vous prêt ? demandai-je au garçon.

385 — Je suis prêt.

— Et vous ? dis-je au petit homme.

— Fin prêt », dit-il, levant le couteau juste audessus du petit doigt du garçon, prêt à trancher. Le garçon ne le quittait pas des yeux, mais il était très 390 calme et ses lèvres ne tremblaient même pas. C'est tout juste s'il fronçait un peu les sourcils.

« Bien, dis-je. Partez ! »

Le garçon me dit alors : « Voulez-vous compter à haute voix, s'il vous plaît ?

395 — Oui, dis-je, volontiers. »

D'un coup de pouce, il leva le couvercle du briquet. Et c'est encore du pouce qu'il appuya sur la roulette. Il y eut une étincelle et la mèche prit feu, brûlant d'une petite flamme jaune clair.

400 « Un ! » fis-je.

Il ne souffla pas la flamme. Il se contenta de refermer le briquet et attendit près de cinq secondes avant de le rouvrir. Puis il appuya ferme sur la roulette et la flamme jaune rejaillit.

405 « Deux ! »

Tout le monde était silencieux. Le garçon avait les yeux fixés sur le briquet. Le petit homme brandissait toujours son couteau, mais lui aussi regardait le briquet.

410 « Trois ! »

« Quatre ! »

« Cinq ! »

« Six ! »

« Sept ! » C'était incontestablement un de ces bri-
415 quets qui fonctionnent. La pierre envoyait inlassablement ses étincelles et la longueur de la mèche
était parfaite. Le pouce rabattait le couvercle sur le
feu. Après quelques secondes d'arrêt, il le soulevait. Le pouce seul opérait, sûr de son efficacité. Je
420 soufflai un peu avant de dire « huit ». Nouveau coup
de pouce. L'étincelle se manifesta. La flamme
apparut.

« Huit ! » m'écriai-je et alors, la porte s'ouvrit. Nous
nous retournâmes tous pour apercevoir dans l'en-
425 cadrement de la porte une femme assez âgée, petite

et brune. Elle demeura d'abord immobile, puis s'avança en criant : « Carlos ! Carlos ! » Elle attrapa le petit homme par le poignet, lui arracha le couteau et le jeta sur le lit. Puis elle saisit l'homme par les
430 revers de son costume blanc et se mit à le secouer vigoureusement, à lui parler fort et avec fureur dans une langue qui ressemblait à l'espagnol. À force d'être secoué, le petit homme devint à peu près inexistant. Il n'en restait plus qu'une ébauche floue
435 aux mouvements rapides et mécaniques. On eût dit un rayon de roue qui tourne.

Puis la femme ralentit le rythme des secousses et le petit homme redevint compact. Elle le traîna à l'autre bout de la chambre et le poussa dans un
440 coin de lit. Il y resta, assis, clignant des yeux, se tapotant la tête pour voir si elle était toujours à sa place.

« Je suis désolée, dit la femme. Je regrette terriblement ce qui vient de se produire ! » Elle parlait
445 un anglais presque parfait.

« C'est trop fâcheux, reprit-elle. Et, en plus, ce doit être ma faute. Je m'absente dix minutes pour aller me faire laver les cheveux et ça lui suffit pour recommencer. » Elle paraissait réellement, sincère-
450 ment navrée.

Le garçon était occupé à déficeler sa main gauche. La jeune fille et moi ne disions rien.

« Un danger public, voilà ce qu'il est, dit la femme. Chez nous, au pays où nous vivons, il a déjà coupé
455 quarante-sept doigts et perdu onze voitures. À la fin, ils ont failli l'interner. C'est pourquoi nous sommes ici.

— Cé n'était qu'un petit pari, murmura, dans son coin, le petit homme.

460 — Je suppose qu'il vous a promis une voiture, dit la femme.

— Oui, répondit le garçon. Une Cadillac.

— Il n'a pas de voiture. La Cadillac est à moi. Il a donc voulu jouer ce qui ne lui appartenait pas. Ce
465 qui ne fait qu'aggraver les choses. Vous m'en voyez navrée et honteuse.» Elle paraissait extrêmement sympathique.

«Tenez, dis-je, voici la clef de la voiture.» Je la posai sur la table.

470 «Cé n'était qu'un petit pari, ânonna le petit homme.

— Il n'a pas de quoi engager un pari. Il n'a rien. Pas un sou. Il a été contraint de me céder tout ce qu'il possédait. J'ai tout gagné. Ça a été long, très
475 long, et ça a été dur. Mais j'ai fini par le gagner tout de même.» Elle leva les yeux sur le garçon et sourit. D'un sourire triste et las. Puis elle s'approcha de la table et étendit une main pour reprendre la clef de la voiture.

480 Alors, je pus la voir, sa main. Elle n'avait que deux doigts: le pouce et l'index. ✍

Roald DAHL, *Bizarre! Bizarre!*, traduit de l'anglais par Élisabeth Gaspar et Hilda Barberis, Paris, Les Éditions Gallimard, 1962.

Michel de Celles *(1934-)*

Cette courte histoire débute et se termine avec des fleurs, même si on y parle surtout de cheveux… Dans une série de tableaux très animés, où chaque dialogue marque une étape, l'auteur esquisse ici la trajectoire d'une vie.

Auteur québécois, Michel de Celles publie depuis 1980 des nouvelles et des articles dans différentes revues. À l'instar d'André Brochu et d'André Vanasse, dont les nouvelles apparaissent aussi dans ce recueil, Michel de Celles avait répondu à l'invitation de la revue littéraire *XYZ*, en 1987, de créer une nouvelle ne comportant pas plus d'une page. Voici le résultat.

Chronique capillaire

— Les jolies fleurs ! Tu arrives juste pour son biberon.

— Vous avez choisi un prénom, ton mari et toi ?

— On hésite… Ah, les voilà !… Merci, garde.

5   — Comme il est mignon. Et des cheveux déjà !

— Courts, Madame ? Avec la tondeuse ?

— Oui, malheureusement. De si belles boucles !
Mais il entre à l'école… Sois sage, Jeannot, ça ne te
fera pas mal.

10   — Un grand garçon, dans le fauteuil ! Même pas
besoin du banc, pour toi.

◆

— Plus de lames ! Madame s'est rasé les jambes,
je suppose ?

— C'est Jean.

15   — Faiblesse maternelle ! Moi, son père, je vais lui
dire : plutôt que de soigner ta moustache de duvet,
il serait temps de passer chez le barbier, avec ta
crinière.

◆

— Alors, Monsieur Jean, ciseaux ou rasoir ?

20   — Rasoir, mais longs. Ma femme aime jusqu'au
col.

— Je taille la barbe ?

— Tu élimines : après les blagues du bâtonnier,
j'ai compris.

◆

25   — Qui c'est, patron, ce client ? «Je veux Marco
comme coiffeur… Gonflez davantage, près des
oreilles… Attention aux marques en me rasant, et
ci et ça.»

— Chut, balaye ! Un habitué : Jean Beauregard, le
30 juge. S'en va voir sa maîtresse.

◆

— Les affaires marchent, Marco ?

— Pas à me plaindre, Monsieur le juge. Vous, la retraite ? La santé ?

— Tu vois : ça devient gris, on en perd.

35 — Penchez vers l'arrière, je coupe les poils du nez.

◆

— T'achèves ?

— Non ! Pour lui, ordre du directeur, tout retoucher : coupe, ondulation, rasage, maquillage.

— En quel honneur ? Tiens, v'là ton gin.

40 — On attend des dignitaires demain, le Barreau. R'garde les fleurs sur la tombe. 🖊

Michel DE CELLES, *La revue XYZ*, n° 11, automne 1987.

Michel Dufour *(1958-)*

Francis Lacombe a un univers bien à lui : celui des étoiles, des planètes, des astres. En un mot, il vit « ailleurs ». Le narrateur, un ami d'enfance, s'interroge : pourquoi les planètes exercent-elles un tel attrait sur Francis ? Quel est ce monde mystérieux ?

Dans *Les chemins contraires* (1999), recueil de nouvelles duquel est extrait « Les planètes », l'auteur québécois Michel Dufour dépeint des êtres hypersensibles, pour qui l'adaptation à la société est parsemée d'obstacles.

Dufour est l'auteur de trois autres recueils de nouvelles (*Circuit fermé*, 1989, *Passé la frontière*, 1991, *N'arrêtez pas la musique*, 1995) et d'un roman (*Loin des yeux du soleil*, 2001).

Les planètes

Si je voulais évoquer ici la personnalité de Francis Lacombe, l'image qui me viendrait à froid serait celle du système solaire, des planètes, là où Francis avait toujours la tête. Enfant, tu naviguais heureux
5 entre la Terre et Pluton, ta passion, les astres, le soleil au milieu, toi, savant Icare[1], qui brûlas tes ailes à force de vouloir trop t'approcher des étoiles. Tu n'avais pas les deux pieds sur terre sinon pour nous parler d'ailleurs, de comètes, d'astéroïdes, de voies
10 lactées, de galaxies inconnues, mondes infiniment

[1] Personnage de la mythologie grecque. Il tenta de voler au moyen d'ailes faites de plumes et fixées avec de la cire. Mais il s'approcha trop près du Soleil : la chaleur fit fondre la cire et il tomba dans la mer.

lointains qu'un jour, aurions-nous pu penser même si nous n'étions que des enfants comme toi, tu irais rejoindre non pas dans la mort mais dans l'oubli même de la réalité.

15   La dernière fois que je t'ai aperçu dans le quartier où nous avons grandi, tu marchais sur le trottoir, l'air de n'être pas d'ici, tes pieds te soulevant délicatement de terre, démarche si caractéristique, tu semblais près de t'envoler, le regard droit devant. Je t'ai
20   croisé, abordé aussi car j'avais envie de savoir ce que tu devenais, tu as sursauté, j'ai senti que je venais de bousculer quelque chose. Combien d'années nous séparaient de notre enfance ? À combien d'années-lumière² de moi te trouvais-tu cette fois-
25   là ? Tu nous éblouissais par tes connaissances sidérales sidérantes, tu nous parlais inlassablement de ce qui se passait là-haut, Mars, Vénus, Jupiter te livraient leurs secrets, alors que tu avais toutes les misères terrestres à vivre dans le plus élémentaire
30   quotidien.

Je t'ai dérangé, je le sais, je l'ai regretté longtemps. Aujourd'hui j'évoque ce moment non sans une certaine émotion, car j'avais beau m'imaginer toutes sortes de choses à ton sujet, croire surtout que tu
35   étais devenu une espèce de génie, ton savoir à cette époque nous impressionnait beaucoup, je ne pouvais penser qu'à l'adolescence tout avait chaviré pour toi, tu avais décidé de décrocher totalement, de vivre sur les planètes qui s'entrechoquaient par-
40   fois violemment dans ta tête. Que s'était-il passé pendant ces années, Francis, pour que tu en arrives là ? Ou plutôt non, il ne s'est rien passé du tout, tu as franchi la frontière sans remous, dans le courant normal des choses, car *là* tu étais presque arrivé
45   depuis longtemps, depuis toujours à vrai dire, quelques pas à faire, la vie s'est chargée de te pousser en douce, ça n'a pas été violent, sauf dans ta tête,

² Unité de longueur qui sert à calculer la distance entre les corps célestes. Une année-lumière équivaut à la distance parcourue en un an dans le vide par la lumière, soit environ 9461 milliards de kilomètres.

même si les voix, parfois, enfin, j'imagine, te crient des choses insensées. Dans ces moments de désar-
50 roi profond, ta tête te fait-elle mal, dis, Francis ?

Cette fois-là, donc, je t'ai accosté (pourquoi toujours ces détours incontournables avant d'en arriver à l'instant de vérité, pourquoi ?), je me suis présenté, tu ne m'as pas reconnu ni souri (voilà que j'écris
55 ces lignes et cette vision de toi me revient parfaitement, tes yeux surtout ne semblaient plus habités par aucune flamme si faible soit-elle, tes yeux m'ont fait reculer), tu m'as simplement dit gare à vous la faille du monde c'est pour dans trois mille cinq cent
60 quarante-huit heures, je n'ai pas compris ton message, de quelle *faille* parlais-tu, à moins que tu n'aies voulu dire la *fin* ? (Je me souviens pourtant de ta bouche large ouverte, du mot, clairement, oui tu as bien prononcé *faille* et non *fin*...)

65 Chose certaine, j'ai constaté que tu étais ailleurs depuis longtemps, Francis, d'aucuns auront le mot approprié pour désigner ton état (n'est-ce pas, docteur ?), moi je dis que la vie t'avait tracé la voie, tu n'as fait que mettre tes pas dans les pas inconnus que
70 tu découvrais devant toi, poussé par toutes ces voix ténébreuses, extraterrestres, que tu t'exerçais, j'imagine, à faire taire quand elles devenaient trop fortes ou porteuses d'une vérité qu'au fond tu ne voulais peut-être pas envisager. Ici-bas, Francis, il n'y a jamais
75 eu de place pour toi, mais là-haut toutes les planètes dont tu nous parlais avec fascination quand tu nous faisais devant la classe un exposé magistral, toutes les planètes du cosmos sont habitables. Envole-toi !

Michel DUFOUR, *Les chemins contraires*, Québec, © Les Éditions de L'instant même, 1999.

Madeleine Ferron *(1922-)*

On ne sait pas son nom. On sait seulement que, mariée très jeune, elle eut tellement d'enfants qu'elle n'arrivait plus à les différencier de ses petits-enfants... Dans « Le Peuplement de la Terre », Madeleine Ferron crée une suite de tableaux touchants et tendres sur le déroulement d'une vie et le vieillissement.

Cette auteure prolifique situe ses romans dans la Beauce québécoise, où elle a vécu pendant plus de 30 ans. Cependant, ses personnages dépassent largement ce territoire : par leurs traits profondément humains, ils atteignent l'universel.

Madeleine Ferron a publié des romans, dont *La fin des loups-garous* (1971), et de nombreux recueils de contes et de nouvelles, dont *Le chemin des dames* (1977), *Histoires édifiantes* (1981) et *Le cœur de sucre* (1988), duquel est tiré « Le Peuplement de la Terre ».

Le Peuplement de la Terre

Vers huit heures du matin, ils s'éveillèrent en sursaut. Elle, étonnée et confuse, hésita devant l'insolite de son réveil. Non, elle ne rêvait pas. C'était bien vrai, elle était mariée de la veille et se réveillait

5 avec un mari dans un lit chez le voisin. Lui, il porta la main à ses cheveux et jura en soulevant péniblement sa tête. Il s'était couché fin saoul. «Tu ne peux pas refuser, lui disait-on à chaque tournée, c'est toi le marié.»

10 Au milieu de la veillée, il titubait déjà et sa couette de cheveux bruns tombait le long de sa joue, sans qu'il fît l'effort de la relever d'un coup de tête, selon son habitude. Oscillante sur ses jambes, engourdie de sommeil, elle suivait avec effort sous ses paupiè-
15 res pesantes la marche de la fête et s'amusait quelquefois du plaisir un peu fou qu'il prenait à ses noces.

Comme c'étaient ses noces à elle aussi, elle se tenait stoïquement éveillée, tout en enviant sa cou-
20 sine qui dormait paisiblement, la tête dans l'angle d'un mur, et qui avait le même âge : treize ans et demi[1]. «À cet âge, c'est pardonnable», avait-elle toujours entendu dire. Évidemment, mais pas le soir de ses noces !

25 Minuit était sonné depuis longtemps quand enfin il lui fit discrètement signe de le suivre. Ils passèrent par le jardin pour que personne ne les vît et n'eût l'idée de leur jouer de vilains tours. Elle l'aida à sauter la clôture, à franchir le fossé et à monter
30 l'escalier. Il tomba de travers sur le lit et ronfla tout de suite, les poings fermés, comme un enfant. Il avait dix-huit ans. Roulée en boule sur le coin du matelas, elle s'endormit également.

Le lendemain matin, aussitôt réveillés, ils se levè-
35 rent, honteux d'être restés si tard au lit. Il courut atteler une voiture qu'il alla ranger devant le perron des beaux-parents. On y chargea le coffre de sa femme, qu'ensuite il fit monter. Il était cérémonieux ou gêné ; elle, presque joyeuse. Il mit le cheval au
40 trot vers la terre où on l'avait établi. Il devenait le deuxième voisin. Elle envoya la main gaiement,

[1] Au Québec, ce n'est que dans les années 1960 que l'âge de l'instruction obligatoire fut porté à 16 ans. Auparavant, surtout dans les campagnes, les jeunes filles se mariaient parfois très jeunes.

longuement, et sa mère qui pleurait suivit jusqu'au détour du chemin la natte blonde qui se balançait sur le dossier du siège arrière.

45 Tout le jour ils travaillèrent avec entrain à leur installation et le soir ils se couchèrent très tôt. Il l'embrassa longuement. Devant une ardeur qui s'enflammait et des gestes compliqués, elle devint tout à coup très inquiète :

50 — Qu'est-ce que tu fais là ? demanda-t-elle.

Il répondit doucement :

— Tu es la brebis et je suis le bélier.

— Oh ! fit-elle seulement.

Avec des références, tout devient très simple.

55 Les premiers matins de leur vie commune, quand il était aux champs, elle courait vite chez sa mère qui lui demandait toujours, soucieuse :

— Tu vas bien au moins ?

— Oui, répondait la petite en souriant.

60 — Ton mari, il est bon pour toi ?

— Oh ! oui. Il me dit que je suis une bien gentille brebis.

Brebis… brebis… La mère, intriguée, regardait attentivement sa fille mais n'osait la questionner 65 davantage. Elle offrait un bol de café et disait :

— Retourne maintenant chez ton mari. Va faire le ménage et préparer le repas.

Comme la petite boudait et faisait mine de ne pas comprendre, la mère lui offrait une grande tartine 70 de crème recouverte de sucre et la poussait gentiment vers la porte. La petite prenait la route en mangeant sa tartine et la mère appuyée au mur de la maison, satisfaite, émue mais triste, la regardait aller jusqu'au tournant du chemin, avec sa grande 75 natte qui se balançait dans son dos.

Peu à peu, la jeune épouse espaça ses visites. À l'automne, quand les pluies froides se mirent à tomber, on ne la vit plus que le dimanche. Elle avait trouvé son rythme personnel. Avait-elle eu trop
80 d'énergie ou un surcroît d'ambition ? Peut-être avait-elle seulement manqué de vigilance. Le tempo de son rythme fut trop rapide. Elle ne marchait plus, elle courait. Elle tissait des draps, plus que n'en pouvaient contenir ses coffres, cultivait des légumes plus
85 qu'ils n'en pouvaient manger et élevait des veaux plus qu'ils n'en savaient vendre.

Et les enfants arrivèrent sans respecter le délai fixé par la nature. On ne la vit plus qu'un enfant dans les bras, un dans le ventre et l'autre sur les
90 talons. Elle les élevait bien, mécaniquement, sans les compter, les acceptant comme on accepte les saisons, les regardant partir, non pas avec fatalisme ou résignation mais sereine et consentante devant l'inéluctable destin qui fait que la pomme tombe
95 quand elle est mûre.

Le mécanisme très simple qu'elle avait une fois pour toutes, mis en mouvement, ne s'arrêta plus de tourner. Elle était l'engrenage principal, sans droit de regard sur l'ensemble. C'était parfait. Sa seule
100 erreur, ce fut d'avoir, au mécanisme, donné un tempo trop rapide. Avec elle, les saisons semblaient toujours en retard. La génération de ses enfants déborda inconsidérément sur celle de ses petits-enfants et l'ordre se trouva brisé. Ses filles et ses
105 garçons avaient déjà une nombreuse progéniture qu'elle-même enfantait encore, donnant à ses petits-fils des oncles plus jeunes qu'eux pour qui ils n'auraient aucun respect.

Elle eut vingt-deux enfants. C'était extravagant.
110 Heureusement, quand il en entrait un par la porte avant, tout enrubanné et vagissant dans les bras de la porteuse, un autre sortait par la porte arrière,

seul, avec son baluchon sur le dos. C'était quand même extravagant. Elle ne s'en rendit jamais compte.

115 Son mari enterré et son plus jeune fils marié, elle s'arrêta pour souffler, décidée à s'acheter enfin des pantoufles et une berçante. Le mécanisme ne sut pas s'ajuster à un rythme nouveau. Il se détraqua. Elle se retrouva désorientée, incapable de diriger l'étran-
120 gère qu'elle était devenue, qu'elle ne connaissait pas et qui tournait en rond, les bras tendus, de plus en plus troublée.

« Et si je visitais ma famille ? » dit-elle un bon jour à sa voisine. Elle avait des enfants établis aux quatre
125 coins de la province, quelques-uns même exilés aux États-Unis. Elle allait faire le recensement ou plutôt elle ferait comme un évêque, la tournée de son diocèse.

On l'a vue partir un bon matin d'un pas devenu
130 très lent. Elle est montée dans l'autobus, sa petite valise de carton noir à la main. Elle a souri à ses voisines mais son regard est demeuré hagard.

Elle se dirigea d'abord vers les États. On lui fit con-naître la femme de son petit-fils qui ne parlait pas
135 français et tous les autres qu'elle regardait longue-ment. Et tout à coup soucieuse elle demandait : « Celui-là, c'est mon enfant ou l'enfant de mon enfant ? » Les générations s'enchevêtraient dans son esprit. Elle ne s'y retrouvait plus.

140 Elle remonta jusqu'à Sept-Îles. Un jour qu'elle se berçait sur la galerie avec un de ses fils, il lui avait désigné un grand jeune homme brun qui venait sur le trottoir : « Regarde, la mère, c'est mon plus jeune. » Il avait dix-huit ans et une couette de cheveux
145 tombait le long de sa joue. Elle s'était mise à pleurer, à crier très fort : « C'est lui, c'est mon mari. »

Le lendemain, on la reconduisit chez une de ses filles qu'elle appela du prénom de sa sœur. Sa fille

prit bien soin d'elle durant quelques jours et puis la
150 conduisit chez sa sœur qui, après beaucoup de gen-
tillesses, la mena chez l'un de ses petits-fils, parmi
les plus vieux. Elle ne posa plus de questions. Elle
pleurait.

Enfin, un de ses garçons, aumônier dans un foyer
155 pour vieillards, vint la chercher. Elle le suivit avec
docilité. Quand il la présenta à la communauté réu-
nie, elle se tourna vers lui et demanda gentiment :
« Dis, est-ce qu'ils sont tous tes frères ? »

Madeleine FERRON, *Cœur de sucre*, Montréal, Bibliothèque
québécoise, collection L'Arbre, © Hurtubise HMH, 1988.

Romain Gary *(1914-1980)*

Pendant la Seconde Guerre mondiale, à Munich en Allemagne, un commerçant juif cultive avec passion les plus hautes valeurs humaines. Mais il est contraint de se cacher pour échapper à l'extermination raciale mise en œuvre par les nazis. L'humanisme qui le caractérise, à savoir une foi inébranlable en l'Homme et en ses capacités, pourra-t-il le sauver?

Né à Moscou en 1914, Romain Gary émigre en France à 14 ans. Cet homme hors du commun se distingue au cours de la Seconde Guerre mondiale (1939-1945) et est décoré à plusieurs reprises. Il fait ensuite carrière dans la diplomatie.

Gary publie une trentaine de romans dont *Les racines du ciel* (1956) et *La promesse de l'aube* (1960). Quatre de ses romans paraissent sous le pseudonyme d'Émile Ajar, dont *La vie devant soi* (1975) et *L'angoisse du roi Salomon* (1979). Romain Gary a également réalisé deux films: *Les oiseaux vont mourir au Pérou* (1968) et *Kill* (1972).

Son œuvre, dans laquelle il décrit ses personnages avec tendresse et humanité, exploite les idéaux qui ont mené sa vie entière: la lutte contre toutes les formes de fascisme et la recherche de justice et de fraternité. Romain Gary a mis fin à ses jours en 1980, à 66 ans.

Un humaniste

Au moment de l'arrivée au pouvoir en Allemagne du Führer[1] Adolf Hitler[2], il y avait à Munich un certain Karl Lœwy, fabricant de jouets de son métier, un homme jovial, optimiste, qui croyait à la
5 nature humaine, aux bons cigares, à la démocratie, et, bien qu'assez peu aryen[3], ne prenait pas trop au sérieux les proclamations antisémites[4] du nouveau chancelier[5], persuadé que la raison, la mesure et un certain sens inné de la justice, si répandu malgré tout
10 dans le cœur des hommes, allaient l'emporter sur leurs aberrations passagères.

Aux avertissements que lui prodiguaient ses frères de race, qui l'invitaient à les suivre dans l'émigration, Herr[6] Lœwy répondait par un bon rire et, bien carré
15 dans son fauteuil, un cigare aux lèvres, il évoquait les amitiés solides qu'il avait nouées dans les tranchées pendant la guerre de 1914-18, amitiés dont certaines, aujourd'hui fort haut placées, n'allaient pas manquer de jouer en sa faveur, le cas échéant.
20 Il offrait à ses visiteurs inquiets un verre de liqueur, levait le sien « à la nature humaine », à laquelle, disait-il, il faisait entièrement confiance, qu'elle fût revêtue d'un uniforme nazi ou prussien[7], coiffée d'un chapeau tyrolien ou d'une casquette d'ouvrier.
25 Et le fait est que les premières années du régime[8] ne furent pour l'ami Karl ni trop périlleuses, ni même pénibles. Il y eut, certes, quelques vexations, quelques brimades, mais, soit que les « amitiés des tranchées » eussent en effet joué discrètement en sa
30 faveur, soit que sa jovialité bien allemande, son air

[1] Chef. (Mot allemand.)

[2] Hitler accéda au pouvoir en 1933 en Allemagne. Il est le concepteur de la doctrine raciste du nazisme, qui proclamait la supériorité de la race blanche. Il est à l'origine de l'extermination de millions de Juifs et de Tziganes dans les camps de concentration. Ses politiques expansionnistes provoquèrent la Seconde Guerre mondiale.

[3] Chez les nazis, ce terme désignait un type d'humains de « race pure » censé descendre directement des Aryens, un peuple de l'Antiquité. La notion de « race pure » ne repose sur aucun fondement scientifique.

[4] Propos racistes envers les Juifs.

[5] Premier ministre.

[6] Monsieur. (Mot allemand.)

[7] Allemand. Pris au sens ici d'« en dehors de toute allégeance politique », par opposition à « nazi ».

[8] Régime nazi.

de confiance eussent, pendant quelque temps, retardé les enquêtes à son sujet, alors que tous ceux dont l'extrait de naissance laissait à désirer prenaient le chemin de l'exil, notre ami continua à 35 vivre paisiblement entre sa fabrique de jouets et sa bibliothèque, ses cigares et sa bonne cave, soutenu par son optimisme inébranlable et la confiance qu'il avait dans l'espèce humaine. Puis vint la guerre[9], et les choses se gâtèrent quelque peu. Un beau jour, 40 l'accès de sa fabrique lui fut brutalement interdit et, le lendemain, des jeunes gens en uniforme se jetèrent sur lui et le malmenèrent sérieusement. M. Karl donna quelques coups de fil à droite et à gauche, mais les « amitiés du front[10] » ne répondaient 45 plus au téléphone. Pour la première fois, il se sentit un peu inquiet. Il entra dans sa bibliothèque et promena un long regard sur les livres qui couvraient les murs. Il les regarda longuement, gravement : ces trésors accumulés parlaient tous en faveur des 50 hommes, ils les défendaient, plaidaient en leur faveur et suppliaient M. Karl de ne pas perdre courage, de ne pas désespérer. Platon[11], Montaigne[12], Érasme[12], Descartes[12], Heine[12]… Il fallait faire confiance à ces illustres pionniers ; il fallait patienter, laisser à l'humain 55 le temps de se manifester, de s'orienter dans le désordre et le malentendu, et de reprendre le dessus. Les Français avaient même trouvé une bonne expression pour cela ; ils disaient : Chassez le naturel, il revient au galop. Et la générosité, la justice, la raison 60 allaient triompher cette fois encore, mais il était évident que cela risquait de prendre quelque temps. Il ne fallait ni perdre confiance ni se décourager ; cependant, il était tout de même bon de prendre quelques précautions.

65 M. Karl s'assit dans un fauteuil et se mit à réfléchir.

C'était un homme rond, au teint rose, aux lunettes malicieuses, aux lèvres fines dont les contours

9 La Seconde Guerre mondiale.

10 Les Allemands, ses compatriotes, aux côtés de qui il avait combattu pendant la Première Guerre mondiale (1914-1918).

11 Philosophe grec, mort en 347 avant notre ère.

12 Écrivains humanistes européens (s'échelonnant du XVe au XIXe siècle). Chacun à sa façon a exalté l'Homme et ses capacités, et prôné, entre autres, la tolérance.

paraissaient avoir gardé la trace de tous les bons mots qu'elles avaient lancés.

70 Il contempla longuement ses livres, ses boîtes de cigares, ses bonnes bouteilles, ses objets familiers, comme pour leur demander conseil, et peu à peu son œil s'anima, un bon sourire astucieux se répandit sur sa figure, et il leva son verre de fine vers les
75 milliers de volumes de la bibliothèque, comme pour les assurer de sa fidélité.

M. Karl avait à son service un couple de braves Munichois qui s'occupaient de lui depuis quinze ans. La femme servait d'économe et de cuisinière, pré-
80 parait ses plats favoris ; l'homme était chauffeur, jardinier et gardien de la maison. Herr Schutz avait une seule passion : la lecture. Souvent, après le travail, alors que sa femme tricotait, il restait pendant des heures penché sur un livre que Herr Karl lui
85 avait prêté. Ses auteurs favoris étaient Goethe, Schiller, Heine, Érasme ; il lisait à haute voix à sa femme les passages les plus nobles et inspirés, dans la petite maison qu'ils occupaient au bout du jardin. Souvent, lorsque M. Karl se sentait un peu seul, il
90 faisait venir l'ami Schutz dans sa bibliothèque, et là, un cigare aux lèvres, ils s'entretenaient longuement de l'immortalité de l'âme, de l'existence de Dieu, de l'humanisme, de la liberté et de toutes ces belles choses que l'on trouvait dans les livres qui les
95 entouraient et sur lesquels ils promenaient leurs regards reconnaissants.

Ce fut donc vers l'ami Schutz et sa femme que Herr Karl se tourna en cette heure de péril. Il prit une boîte de cigares et une bouteille de schnaps, se
100 rendit dans la petite maison au bout du jardin et exposa son projet à ses amis.

Dès le lendemain, Herr et Frau[13] Schutz se mirent au travail.

[13] Madame. (Mot allemand.)

Le tapis de la bibliothèque fut roulé, le plancher
105 percé et une échelle installée pour descendre dans
la cave. L'ancienne entrée de la cave fut murée. Une
bonne partie de la bibliothèque y fut transportée,
suivie par les boîtes de cigares ; le vin et les liqueurs
s'y trouvaient déjà. Frau Schutz aménagea la cachette
110 avec tout le confort possible et, en quelques jours,
avec ce sens bien allemand du *gemütlich*[14], la cave
devint une petite pièce agréable, bien arrangée. Le
trou dans le parquet fut soigneusement dissimulé
par un carreau bien ajusté et recouvert par le tapis.
115 Puis Herr Karl sortit pour la dernière fois dans la rue,
en compagnie de Herr Schutz, signa certains papiers,
effectua une vente fictive pour mettre son usine et
sa maison à l'abri d'une confiscation ; Herr Schutz
insista d'ailleurs pour lui remettre des contre-lettres
120 et des documents qui allaient permettre au propriétaire légitime de rentrer en possession de ses
biens, le moment venu. Puis les deux complices
revinrent à la maison et Herr Karl, un sourire malin
aux lèvres, descendit dans sa cachette pour y atten-
125 dre, bien à l'abri, le retour de la bonne saison.

Deux fois par jour, à midi et à sept heures, Herr
Schutz soulevait le tapis, retirait le carreau, et sa
femme descendait dans la cave des petits plats bien
cuisinés, accompagnés d'une bouteille de bon vin,
130 et, le soir, Herr Schutz venait régulièrement s'en-
tretenir avec son employeur et ami de quelque sujet
élevé, des droits de l'homme, de la tolérance, de
l'éternité de l'âme, des bienfaits de la lecture et de
l'éducation, et la petite cave paraissait tout illumi-
135 née par ces vues généreuses et inspirées.

Au début, M. Karl se faisait également descendre
des journaux, et il avait son poste de radio à côté de
lui, mais, au bout de six mois, comme les nouvelles
devenaient de plus en plus décourageantes et que le
140 monde semblait aller vraiment à sa perdition, il fit

[14] Confort. (Mot allemand.)

enlever la radio, pour qu'aucun écho d'une actualité passagère ne vint entamer la confiance inébranlable qu'il entendait conserver dans la nature humaine, et, les bras croisés sur la poitrine, un sourire
145 aux lèvres, il demeura ferme dans ses convictions, au fond de sa cave, refusant tout contact avec une réalité accidentelle et sans lendemain. Il finit même par refuser de lire les journaux, par trop déprimants, et se contenta de relire les chefs-d'œuvre de sa biblio-
150 thèque, puisant au contact de ces démentis que le permanent infligeait au temporaire la force qu'il fallait pour conserver sa foi.

Herr Schutz s'installa avec sa femme dans la maison, qui fut miraculeusement épargnée par les bom-
155 bardements. À l'usine, il avait d'abord eu quelques difficultés, mais les papiers étaient là pour prouver qu'il était devenu le propriétaire légitime de l'affaire, après la fuite de Herr Karl à l'étranger.

La vie à la lumière artificielle et le manque d'air
160 frais ont augmenté encore l'embonpoint de Herr Karl, et ses joues, avec le passage des années, ont perdu depuis longtemps leur teint rose, mais son optimisme et sa confiance dans l'humanité sont demeurés intacts. Il tient bon dans sa cave, en atten-
165 dant que la générosité et la justice triomphent sur la terre, et, bien que les nouvelles que l'ami Schutz lui apporte du monde extérieur soient fort mauvaises, il refuse de désespérer.

Quelques années après la chute du régime hitlé-
170 rien, un ami de Herr Karl, revenu d'émigration, vint frapper à la porte de l'hôtel particulier de la Schillerstrasse.

Un homme grand et grisonnant, un peu voûté, d'aspect studieux, vint lui ouvrir. Il tenait encore un

175 ouvrage de Goethe à la main. Non, Herr Lœwy
n'habitait plus ici. Non, on ne savait pas ce qu'il était
devenu. Il n'avait laissé aucune trace, et toutes les
enquêtes faites depuis la fin de la guerre n'avaient
donné aucun résultat. *Grüss Gott*[15] ! La porte se
180 referma. Herr Schutz rentra dans la maison et se
dirigea vers la bibliothèque. Sa femme avait déjà pré-
paré le plateau. Maintenant que l'Allemagne connaissait à nouveau l'abondance, elle gâtait Herr Karl
et lui cuisinait les mets les plus délicieux. Le tapis
185 fut roulé et le carreau retiré du plancher. Herr
Schutz posa le volume de Goethe sur la table et
descendit avec le plateau.

Herr Karl est bien affaibli, maintenant, et il souffre d'une phlébite. De plus, son cœur commence à
190 flancher. Il faudrait un médecin, mais il ne peut pas
exposer les Schutz à ce risque ; ils seraient perdus si
on savait qu'ils cachent un Juif humaniste dans leur
cave depuis des années. Il faut patienter, se garder
du doute ; la justice, la raison et la générosité natu-
195 relle reprendront bientôt le dessus. Il ne faut surtout
pas se décourager. M. Karl, bien que très diminué,
conserve tout son optimisme, et sa foi humaine est
entière. Chaque jour, lorsque Herr Schutz descend
dans la cave avec les mauvaises nouvelles — l'oc-
200 cupation de l'Angleterre[16] par Hitler fut un choc
particulièrement dur — c'est Herr Karl qui l'encou-
rage et le déride par quelque bon mot. Il lui montre
les livres sur les murs et il lui rappelle que l'humain
finit toujours par triompher et que c'est ainsi que les
205 plus grands chefs-d'œuvre ont pu naître, dans cette
confiance et dans cette foi. Herr Schutz ressort toujours de la cave fortement rasséréné.

La fabrique de jouets marche admirablement ; en
1950, Herr Schutz a pu l'agrandir et doubler le
210 chiffre des ventes ; il s'occupe avec compétence de
l'affaire.

Chaque matin, Frau Schutz descend un bouquet de fleurs fraîches qu'elle place au chevet de Herr Karl. Elle lui arrange ses oreillers, l'aide à se changer
215 de position et le nourrit à la cuiller, car il n'a plus la force de s'alimenter lui-même. Il peut à peine parler, à présent ; mais parfois ses yeux s'emplissent de larmes, son regard reconnaissant se pose sur les visages des braves gens qui ont su si bien soutenir la con-
220 fiance qu'il avait placée en eux et dans l'humanité en général ; on sent qu'il mourra heureux, en tenant dans chacune de ses mains la main de ses fidèles amis, et avec la satisfaction d'avoir vu juste.

Romain GARY, *Les oiseaux vont mourir au Pérou*, Paris, Les Éditions Gallimard, collection Folio, 1962.

William Fryer
Harvey
(1885-1937)

Sous le coup d'une inspiration soudaine, un artiste dessine ce qu'il considère comme son meilleur portrait : celui d'un criminel. Dans l'atmosphère écrasante d'une chaude journée d'août, il rencontre un artisan marbrier qui termine une œuvre : une pierre tombale…
Le narrateur écrit sa propre histoire au présent, à mesure qu'elle se déroule. Mais pourra-t-il nous raconter la fin ?

W.F. Harvey mène dans cette nouvelle l'art du suspense à son sommet. Paradoxalement, on reste suspendu à son récit parce que les événements annoncés se réalisent l'un après l'autre…

Auteur britannique, W.F. Harvey fut d'abord médecin ; il servit comme chirurgien de marine pendant la Première Guerre mondiale. Malgré l'indéniable qualité de son œuvre fantastique, il a été fort peu traduit en français. Plusieurs réalisateurs de cinéma se sont cependant inspirés de ses nouvelles, sans toujours lui attribuer le crédit. Les plus connus de ses ouvrages sont *Midnight House* (1912) et *The Beast with Five Fingers* (*La bête à cinq doigts* (1928).

Chaleur d'août

PHENISTON ROAD, CLAPHAM
20 août 190…

Je viens de vivre ce que je crois être le jour le plus remarquable de ma vie ; et je veux en consigner

5 les événements par écrit — aussi clairement que possible, — pendant qu'ils sont encore frais dans ma mémoire.

Il me faut d'abord dire que je me nomme James Clarence Withencroft.

10 J'ai quarante ans ; je jouis d'une excellente santé, et je ne me souviens pas d'avoir jamais été malade.

Je suis ce qu'on appelle un artiste ; non point un artiste réputé, mais je gagne suffisamment d'argent avec mes dessins pour subvenir à mes besoins.

15 Ma sœur, qui était ma plus proche parente, est morte depuis cinq ans, de sorte que je suis absolument indépendant.

Ce matin, après avoir pris mon petit déjeuner vers neuf heures, j'ai jeté un coup d'œil aux jour-
20 naux du jour ; puis, ayant allumé ma pipe, j'ai laissé mon esprit vagabonder à sa guise, avec l'espoir qu'il me suggérerait quelque sujet propre à inspirer mon crayon.

Bien que la porte et les fenêtres de la pièce où je
25 me tenais fussent ouvertes, il y régnait une chaleur étouffante. Et je venais tout juste de me dire que le meilleur endroit du voisinage, le plus frais, devait sûrement être la piscine municipale, lorsque l'inspiration me vint.

30 Je commençai alors à dessiner. Je m'absorbai si profondément dans mon travail que je ne l'abandonnai, sans même avoir touché à mon repas de midi, qu'en entendant sonner quatre heures au clocher de Saint-Jude.

35 Le résultat de mes efforts, compte tenu qu'il ne s'agissait tout de même que d'un premier jet, était incontestablement ce que j'avais fait de meilleur.

Cela représentait un criminel au banc des accusés, aussitôt après le prononcé du verdict. L'homme

40 était énorme, et le bas de son visage se perdait dans les plis graisseux de son cou. Il était rasé (ou, plus exactement, s'était rasé quelques jours plus tôt) et presque chauve. Il se tenait debout, ses doigts courts et boudinés agrippés à la barre, et regardait droit

45 devant lui. L'expression de son visage ne reflétait point tant l'effroi qu'un effondrement total.

On aurait dit qu'il n'y avait plus rien d'assez puissant, chez cet homme fort, pour supporter le poids de la montagne de chair qu'il était.

50 Je roulai le dessin et le glissai, sans trop savoir pourquoi, dans l'une de mes poches. Puis, avec cette intime satisfaction que donne tout ouvrage bien fait, je quittai la maison.

Il me semble bien que j'avais d'abord eu l'inten-

55 tion de passer chez mon ami Trenton, car je me revois cheminant dans Lytton Street, puis tournant à droite pour m'engager dans Gilchrist Road, au bas de la colline, où des ouvriers s'affairaient à installer de nouvelles lignes de tramway.

60 À partir de là, je ne sais plus très bien quel chemin j'ai pu faire. La seule chose dont je me souvienne vraiment, c'est de l'épouvantable chaleur qui s'élevait, telle une vague, de la poussière d'asphalte de la chaussée. Je soupirais après l'orage qu'annonçaient

65 les lourds nuages cuivrés amoncelés à l'ouest, au ras de l'horizon.

Je devais bien avoir déjà parcouru cinq ou six milles, quand un gamin me tira de ma rêverie en me demandant quelle heure il pouvait être.

70 Il était sept heures moins vingt.

Dès qu'il m'eut quitté, je commençai à reprendre conscience de ce qui m'entourait. Je me trouvais devant une grande porte donnant accès à une cour bordée de parterres calcinés où se voyaient des massifs

75 de fleurs pourpres et de géraniums écarlates. Un panneau de bois surmontait ladite porte. On y lisait:

CHAS. ATKINSON

MARBRIER

TOUS TRAVAUX EN MARBRES

80 ANGLAIS ET ITALIENS

Quelqu'un, dans la cour, sifflait un petit air guilleret qu'accompagnaient des coups de marteau et le crissement aigre de l'acier mordant la pierre.

Une brusque impulsion me poussa à entrer.

85 Un homme se tenait assis là, qui me tournait le dos et s'occupait à travailler une dalle d'un marbre curieusement veiné. Au bruit de mes pas, il se retourna et s'arrêta tout net de travailler et de siffler.

C'était l'homme que j'avais dessiné et dont le 90 portrait se trouvait dans ma poche.

Énorme, semblable à quelque monstrueux mastodonte, il épongeait son crâne ruisselant de sueur à l'aide d'un mouchoir de soie rouge. Mais bien que son visage fût exactement celui que j'avais dessiné, 95 l'expression en était tout autre.

Je m'excusai de mon intrusion:

«Il fait si chaud dehors, dis-je. Et la lumière est tellement aveuglante… Votre cour est comme une oasis, au milieu de cette fournaise.

100 — Je ne sais pas si c'est une oasis, répondit l'homme. Mais il fait vraiment très chaud, aussi chaud qu'en enfer. Asseyez-vous donc, monsieur!»

Il me désigna un siège qui se trouvait près de lui, et je m'assis.

105 «Vous avez là un magnifique bloc de pierre», dis-je.

Il opina du chef :

«En un sens vous avez raison, reconnut-il. Le dessus est aussi beau qu'on peut le souhaiter ; mais le dessous est défectueux, bien que vous ne l'ayez
110 point remarqué. Et je ne pourrai jamais tirer quelque chose de propre d'un pareil morceau de marbre. Bien sûr, par ces chaleurs, ça ne craint rien. Mais attendez seulement l'hiver, et vous verrez que le gel, lui, saura bien trouver le point faible de cette pierre.

115 — À quoi la destinez-vous donc ? demandai-je.

— Si je vous dis que c'est à une exposition, vous ne me croirez pas. Et c'est pourtant la vérité. Les artistes ont bien leurs expositions, eux, de même que les bouchers et les épiciers. Pourquoi n'aurions-nous
120 pas les nôtres aussi ? Les toutes dernières nouveautés en fait de pierres tombales, pas vrai ? »

Et il continua à parler des marbres. De ceux qui résistaient le mieux au vent et à la pluie, comme de ceux qui étaient les plus faciles à travailler. Puis il
125 m'entretint de son jardin et de la nouvelle sorte d'œillets qu'il venait d'acheter.

D'instant en instant, il lâchait ses outils pour s'éponger le crâne en pestant contre la chaleur.

Quant à moi, je parlais peu car je me sentais mal
130 à l'aise. Il y avait quelque chose d'anormal, d'étrange, dans cette rencontre que je venais de faire.

J'essayai d'abord de me persuader que je connaissais déjà cet homme et que son visage, qui me semblait inconnu, avait émergé de quelque recoin secret
135 de ma mémoire. Mais je savais bien que je me mentais à moi-même.

Mr. Atkinson, ayant achevé son ouvrage, cracha par terre avec un soupir satisfait.

«Qu'est-ce que vous dites de ça ? » demanda-t-il
140 en se rengorgeant.

L'inscription qu'il me montrait, et que je lus pour la première fois, était ainsi conçue :

À LA MÉMOIRE DE

JAMES CLARENCE WITHENCROFT,

145 NÉ LE 18 JANVIER 1860,

MORT SOUDAINEMENT LE 20 AOÛT 190...

« Déjà te voilà mort au milieu de ta vie. »

Je demeurai assez longtemps sans rien dire. Puis un frisson glacé me parcourut l'échine. Je demandai
150 alors à Mr. Atkinson où il avait trouvé ce nom.

« Nulle part, me répondit-il. Il me fallait un nom : j'ai pris le premier qui m'est venu à l'esprit. Pourquoi me demandez-vous ça ?

— Parce que, même s'il ne s'agit peut-être là que
155 d'une bizarre coïncidence, c'est tout de même le mien. »

L'homme fit entendre un long sifflement étouffé :

« Et les dates ?

— Je ne puis répondre que de l'une des deux : elle
160 est exacte.

— Ça alors ! » s'exclama-t-il.

Mais il en savait beaucoup moins que moi. Je lui parlai de mon travail du matin. Je tirai le dessin de ma poche et le lui montrai. Cependant qu'il le regar-
165 dait, l'expression de son visage s'altéra au point de le faire ressembler vraiment à celui de l'homme que j'avais dessiné.

« Et dire, commenta-t-il, que pas plus tard qu'avant-hier, je soutenais encore à Maria que les fantômes
170 n'existaient pas ! »

Ni lui ni moi n'avions vu de fantôme, mais je savais ce qu'il voulait dire.

«Vous avez sans doute déjà entendu prononcer mon nom, dis-je.

175 — Et vous, répliqua-t-il, vous m'avez déjà vu quelque part, mais vous l'avez oublié. Est-ce que vous n'étiez pas en vacances à Clacton on Sea, en juillet dernier, par hasard?»

Je n'avais, de ma vie, jamais mis les pieds à Clacton
180 on Sea. Nous demeurâmes quelque temps silencieux, regardant tous deux la même chose: les deux dates inscrites sur la pierre tombale, et dont une était exacte.

«Entrez donc, vous dînerez avec nous», dit enfin
185 Mr. Atkinson.

Sa femme était petite et enjouée, avec de bonnes joues rondes et luisantes de campagnarde. Il me présenta en lui disant que j'étais un artiste de ses amis. Cela eut un résultat des plus inattendus: car,
190 aussitôt après les sardines et le cresson, elle m'apporta une grosse Bible, illustrée par Gustave Doré[1], et sur laquelle il me fallut m'extasier une bonne demi-heure durant.

Je finis tout de même par regagner la cour; et j'y
195 retrouvai Mr. Atkinson fumant, assis sur un coin de la pierre tombale.

Nous reprîmes la conversation au point où nous l'avions laissée:

«Excusez-moi, dis-je, mais n'auriez-vous pas
200 commis quelque action susceptible de vous mener devant un tribunal?»

Il secoua négativement la tête:

«Non. Je n'ai jamais fait faillite, et mes affaires marchent on ne peut mieux. Il y a trois ans j'ai bien
205 fait cadeau de deux ou trois dindes au juge de paix, pour son Noël... Mais je ne vois rien d'autre. Et

[1] Célèbre dessinateur, graveur et peintre français (1832-1883).

encore, elles étaient plutôt maigres, ces dindes-là»,
ajouta-t-il après un moment de réflexion.

Il se leva, prit un arrosoir qui se trouvait près de
210 l'entrée de la maison et se mit à arroser ses fleurs :
«Deux fois par jour, quand il fait une chaleur pareille,
expliqua-t-il. Mais, souvent, ça n'empêche tout de
même pas la sécheresse de faner en un rien de temps
les fleurs les plus délicates. Et je ne parle pas des
215 fougères : elles n'y résistent pas, nom de nom!...
Où habitez-vous ? »

Je lui dis mon adresse. J'étais au moins à une heure
de chez moi, en marchant vite.

«Dans ce cas, dit-il, vous ferez comme vous
220 voudrez. Mais, si vous rentrez chez vous maintenant,
il fait nuit et vous courez le risque d'être renversé
par une voiture ; de plus il traîne toujours des pelures
d'orange, des peaux de banane, sans compter les
échelles qui vous tombent dessus. »

225 Il parlait de ces choses improbables avec une telle
conviction qu'elle m'eût probablement fait rire six
heures plus tôt. Mais, à présent, je n'en avais pas
envie.

«Le mieux pour vous, reprit-il, ce serait de rester
230 ici jusqu'à minuit. Nous pourrions nous installer à
l'intérieur, au premier étage — il y fait frais, — et
fumer tranquillement. »

Nous sommes maintenant assis dans une longue
pièce basse, sous les combles. Mr. Atkinson a envoyé
235 sa femme se coucher. Et, tout en fumant l'un de mes
cigares, il aiguise minutieusement quelques outils à
l'aide d'une pierre à affûter.

L'air est chargé d'électricité. J'écris ceci, devant la
fenêtre ouverte, sur une petite table bancale. L'un

240 de ses pieds vient de craquer ; mais Mr. Atkinson, qui semble fort adroit de ses mains, va venir le consolider dès qu'il aura fini d'aiguiser son ciseau.

Il est onze heures passées. Je serai parti dans moins d'une heure.

245 La chaleur est suffocante.

C'est assez pour rendre un homme fou. 🖋

W.F. HARVEY, *La grande anthologie du fantastique*, Histoires d'aberrations par Jacques Goimard et Roland Stragliati, traduit par Françoise Martenon et Roland Stragliati, Paris, Presses Pocket, 1977.

Maurice
Henrie *(1936-)*

Le vieux père de Jean-Paul affirme qu'il serait fier de le voir faire des études, mais, en même temps, il laisse percer son inquiétude quant à l'avenir de la terre familiale. Jean-Paul est écartelé entre des aspirations qui lui semblent contradictoires : d'un côté, l'attrait des connaissances, l'exaltation des découvertes intellectuelles ; de l'autre, la satisfaction du travail manuel bien fait, la connivence avec un monde physique et naturel qui lui est familier.

La nouvelle « Les mains », extraite de *La chambre à mourir*, a remporté en 1988 le prix Ottawa-Carleton. Maurice Henrie, auteur franco-ontarien, y utilise un style poétique et précis pour nous plonger dans la nostalgie et le désarroi causés par la désagrégation de l'univers rural.

Henrie a également publié, entre autres, *La vie secrète des grands bureaucrates* (1989), *Le pont sur le temps* (1992), *Le balcon dans le ciel* (1995) et *La Savoyane* (1996).

Les mains

« **S**i tu veux y aller à l'école, t'as ben beau, dit le grand-père. C'est pas moi qui vas t'en empêcher. J'ai rien à dire de contre ça, ben au contraire. Je serais le premier à me vanter d'avoir un avocat ou
5   ben un docteur dans la famille. Ça fait que gêne-toi pas pis fais-toi-z-en pas pour nous autres, parce que

je trouverai ben moyen de me débrouiller tout seul avec les petits gars. »

Jean-Paul écoutait parler le grand-père, sans le
10 regarder et surtout sans lui répondre d'aucune manière. Mais tout en continuant à creuser encore un peu de sa pelle ronde au manche clair le trou où il planterait un dernier poteau de cèdre avant d'aller dîner, il pensait que le grand-père n'était pas tout à
15 fait sincère. Bien entendu, il ne doutait pas de sa droiture et de son désintéressement. Mais derrière les paroles apparemment généreuses et raisonnables, il saisissait un autre message, presque imperceptible celui-là, qu'il était peut-être le seul à bien com-
20 prendre et dont le grand-père lui-même n'était que vaguement conscient. C'était d'abord une sorte d'angoisse devant la solitude anticipée sur cette ferme. C'était aussi l'attente de trouver chez son fils aîné un peu d'amour pour ce dur métier de cultiva-
25 teur, une certaine fidélité à cette terre de la cin-
quième concession[1], que la nécessité lui avait imposée et qu'il avait fini par aimer avec une sorte de férocité. C'était enfin une inquiétude sans nom face aux métamorphoses que ne manqueraient pas
30 de faire subir à Jean-Paul les longues années d'étude, les villes lointaines, les riches amis et, qui sait, peut-être aussi les femmes étrangères à ce coin du pays. Oui, c'était tout cela que la voix tranquille et assurée du grand-père ne disait pas.

35 Jean-Paul laissa glisser le poteau jusqu'au fond du trou. Il y jeta aussi quelques pelletées de terre et deux ou trois pierres qu'il choisit pour leur grosseur et leur forme. Après avoir tassé le tout du talon de sa botte, il recula de six pas pour juger si le poteau
40 était à la bonne hauteur, bien perpendiculaire au sol et aligné correctement sur le reste de la clôture. Il revint finir de remplir l'espace vide laissé autour du

[1] Au début du XXᵉ siècle, le gouvernement accordait des concessions, c'est-à-dire des terres, à des agriculteurs qui s'engageaient à les défricher et à les cultiver.

poteau, après quoi il s'assura de nouveau qu'il était droit et solide.

45 «En tout cas, c'est à toi de décider, pis ce que tu feras sera ben fait, conclut le grand-père.»

L'après-midi passa plus lentement que d'habitude. Un ciel gris et bas rendait le temps lourd et humide. Pendant le dîner, une pluie soudaine mais 50 de courte durée était tombée et avait détrempé le sol, de sorte qu'une glaise blanchâtre mêlée de menus débris végétaux collait aux semelles dès qu'on s'éloignait des espaces recouverts de gravier. Du taillant de sa hache, Jean-Paul soulevait l'écorce 55 à l'extrémité d'un des poteaux de cèdre couchés sur le sol puis, en tirant vers lui, déchirait et arrachait de longues lanières brunâtres, découvrant la chair tendre et humide d'un bois couleur de miel. Mais bientôt une nouvelle ondée l'obligea à abandonner 60 son travail et à se réfugier dans le hangar tout près, dont la porte était restée grande ouverte. Il s'appuya contre le chambranle, croisa les bras et se mit à regarder tomber la pluie d'un œil vide, hypnotisé. Si ça continuait ainsi, il n'aurait pas le temps de ter- 65 miner la clôture avant la fin de l'après-midi. Il enten- dit claquer la contre-porte de la maison puis, aussitôt après, l'exhortation de la grand-mère à l'un des garçons:

«Rentre ou ben sors, mais arrête d'ouvrir pis de 70 fermer la porte. Tu vois ben que les mouches sont collantes aujourd'hui pis qu'elles attendent rien qu'une chance d'entrer dans la maison pour venir salir le plafond pis les murs.»

Oui, s'il le voulait, Jean-Paul pourrait retourner au 75 secondaire et terminer les cours qu'il avait aban- donnés depuis déjà quelques années. Ensuite, il irait retrouver à l'université plusieurs amis des environs qui, eux, avaient quitté la ferme sans hésitation pour

entreprendre des études de droit ou de médecine.
80 Quelques-uns avaient même choisi d'aller au séminaire. Jean-Paul, lui, préférait l'histoire et les sciences. Il se souvenait d'ailleurs avec attendrissement de la grande campagne militaire d'Hannibal[2] contre les Romains, de sa traversée des Alpes à dos
85 d'éléphants, de son invincible avance dans les plaines d'Italie, et surtout de son hésitation fatale à donner l'assaut définitif à Rome pendant que l'ennemi était en désarroi. Il se souvenait aussi de la structure moléculaire de la majorité des éléments chimiques, et
90 surtout de celle de l'hydrogène, à partir duquel on pouvait produire de l'eau lourde, et celle de l'uranium qui avait permis de fabriquer les bombes que les Américains avaient laissé tomber sur des villes japonaises. Il conservait encore près de son lit un
95 livre à couverture jaune et blanche qu'il n'ouvrait plus mais dont le titre, qu'il avait sans cesse sous les yeux, lui revenait souvent à l'esprit : *Introduction à l'économie contemporaine*. Oui, les salles de classe et les livres lui semblaient toujours bien fascinants.

100 La pluie cessa tout à coup et l'épaisse masse nuageuse qui couvrait le pays depuis deux jours s'effrita rapidement, si bien qu'en moins d'une demi-heure le ciel redevint bleu et qu'un soleil convalescent se mit à briller après plusieurs jours d'absence. Jean-Paul
105 recommença à peler les derniers poteaux de cèdre.

Encore huit à planter avant la traite des vaches… Si tout allait bien, c'était encore possible. Il reprit sa pelle ronde et se remit à creuser dans le sol amolli par la pluie, d'un geste facile et rythmique. Sans
110 effort, aurait-on dit.

Même dans l'obscurité complète, Jean-Paul continuait à connaître parfaitement la grande ferme. Il savait, sans pour autant la voir, où commençait et où s'arrêtait la clôture du trécarré[3], il pouvait dire d'ins-
115 tinct où se trouvait le troupeau de vaches, il savait

[2] Célèbre général et homme d'État de la ville de Carthage en Afrique, mort en 183 avant notre ère. Il voulut conquérir Rome. Vaincu, il s'exila en Orient et s'empoisonna pour échapper aux Romains.

[3] Ligne qui marque l'extrémité d'une terre. (Canadianisme.)

découvrir dans le hangar, sans l'aide d'un fanal, l'outil qu'il cherchait. Avec les années, les objets, les masses et les espaces de cette ferme s'étaient peu à peu mêlés à sa chair et à son âme, si intimement
120 qu'ils l'habitaient tout à fait. Une étroite connivence s'était établie entre eux et lui. Il y avait eu apprivoisement mutuel. Et c'était par les mains surtout que s'incarnait et se perpétuait cette magie. Jean-Paul avait appris à toucher et à prendre les formes
125 qui l'entouraient, à les pousser et à les tirer, à les soulever et à les soupeser, à les caresser ou à les serrer très fort s'il le fallait. Il se souvint tout à coup de quelque chose qui l'avait hanté durant les années passées à l'école, surtout lorsqu'il était assis depuis
130 de longues heures dans la salle de classe, quelque chose qu'il n'arrivait pas à nommer mais qui était comme le désir et la faim qu'éprouvaient ses mains d'étreindre ces objets indispensables et ensorcelés. Non, Jean-Paul le sentait — et c'était peut-être un
135 bien grand malheur —, il ne vivrait pas de son esprit, mais de son corps.

Le dernier poteau planté, il recula et, fermant l'œil droit, examina si la clôture était toujours bien droite. Puis il consulta sa montre et vit qu'il était déjà
140 quatre heures. Il faudrait attendre au lendemain pour tendre les fils barbelés entre les poteaux. Pour l'instant, il fallait aller chercher les vaches, qui avaient pris récemment la mauvaise habitude de se réfugier dans la dernière pièce[4], tout au fond de la
145 terre, ce qui l'obligeait à entreprendre chaque fin d'après-midi une longue marche. Il ne s'en plaignait pourtant pas, y trouvant plutôt un délassement après sa journée de travail et un prétexte à ses réflexions solitaires.

150 Il entra dans la maison prendre son tabac et des allumettes, but rapidement une tasse d'eau, passa en silence près du grand-père assis dans sa berceuse et

[4] Espace de terre cultivable. Les agriculteurs divisent leur terre en plusieurs « pièces », selon qu'ils les utilisent pour différentes cultures ou pour le pâturage du bétail.

rejoignit le chien qui l'attendait déjà derrière la grange. L'animal l'aperçut et courut vers lui pour recevoir la caresse rituelle. Puis l'homme et la bête partirent en direction des champs, le chien trottinant une vingtaine de pieds devant Jean-Paul.

155

Maurice HENRIE, *La chambre à mourir,* Québec, © Les Éditions de L'instant même, 1988.

Tamusi naît et vit dans le Grand Nord, soumis aux cycles
des saisons et de la vie. Devenu un vieil homme,
il collectionne les mots inuktitut. Cette activité lui vaudra
d'être invité dans les grandes villes du Sud, au soir de
son existence.

Le Québécois Marc Laberge est un conteur, mais également
un photographe aventurier. Dans cette nouvelle, il décrit
dans une langue poétique un mode de survivance d'une
culture.

Laberge est directeur du Festival interculturel du conte
de Montréal, qu'il a fondé en 1993. Il a publié *Destins* (1994),
un recueil de contes, *Le glacier* (1995), un récit d'aventures,
et *Ma chasse-galerie* (2000), un recueil de nouvelles dont est
extrait « Tamusi, fils de la glace ».

Tamusi, fils de la glace

Tamusi est né dans un igloo. Son père lui a appris
à pêcher et à chasser. Il lui a montré tout ce
qu'il devait savoir pour survivre dans ces immenses
étendues qui se déploient à l'infini : le pays de la
5   toundra. Parsemées de lacs et de rivières, ces vastes
landes sont couvertes de saules nains, d'arbrisseaux,
de lichens et de mousse et servent de pâturage aux
innombrables troupeaux de caribous. L'hiver peu

10 ensoleillé est long et rigoureux. L'été est court et le soleil brille presque continuellement.

Tamusi s'est marié à son tour et sa femme a mis au monde sur la glace. Ils ont montré à leurs enfants tout ce qu'ils devaient savoir pour survivre. Puis, un jour, sa femme est décédée sur une banquise. Les
15 enfants de Tamusi à leur tour se sont mariés et ont fait des enfants à qui ils ont enseigné à chasser, à pêcher, à aimer…

Devenu âgé, Tamusi s'est retrouvé dans l'une des maisons[1] construites depuis peu dans le village. Il
20 s'ennuyait et regrettait d'une certaine façon la vie sur la glace et dans la toundra. Il eut l'idée de ramasser des mots, ceux de sa langue, l'inuktitut. Il a commencé seul à écrire sur des bouts de papier chacun des mots qu'il connaissait, puis il épinglait les papiers
25 au mur. Chaque jour de nouveaux mots s'ajoutaient et le mur bientôt ne suffisant plus, il a commencé à couvrir un autre mur, puis un autre. Tous les gens du village allaient rendre visite à Tamusi pour admirer l'installation insolite. Ayant fait le tour des mots
30 que lui-même connaissait, il est allé d'une personne à l'autre, demandant à chacun les termes dont il se servait ou se souvenait. Mais, à un certain moment, l'entreprise atteignit des proportions démesurées. Les quatre murs étant couverts de tous ces papillons
35 porteurs de syllabes qui affluaient sans cesse, Tamusi finit par les épingler au plafond, tant et si bien que sa pièce en était remplie. Et les villageois continuaient d'apporter des mots à Tamusi.

De partout les gens s'intéressaient à lui en raison
40 de cette collecte des plus originales. Des employés du gouvernement ayant entendu parler de cette maison tapissée de paroles écrites allèrent y voir de plus près. Le simple fait d'ouvrir et de fermer la porte faisait vibrer les coupures prêtes à s'envoler.
45 Un fonctionnaire équipa Tamusi d'une « cage » pour y conserver ses mots : un ordinateur.

[1] Il s'agit de petites maisons, construites par le gouvernement fédéral, pour reloger les Inuits dépossédés de leurs territoires de chasse et de pêche.

Quand il eut terminé d'y regrouper tout ce qu'il avait répertorié, il s'est retrouvé en présence d'une montagne de mots.

50   On a voulu souligner de différentes façons la publication de ce premier dictionnaire en inuktitut. Ainsi, Tamusi fut invité à venir au « Sud », dans les grandes villes. Un soir, lors d'une réception donnée en son honneur, les gens parlaient mais Tamusi, seul à une
55 table, semblait songeur. Le gel avait creusé d'innombrables rides sur ce visage, cuivré par le soleil boréal. Nul n'a voulu le déranger dans ce moment de réflexion où il semblait préoccupé, retiré dans ses pensées. On le sentait triste quand, soudain, on a
60 remarqué qu'une larme se formait au coin de son œil.

    Pas un seul murmure, une peine sans fond, silencieuse. Que pouvait-il bien se passer, aurait-il souhaité que sa femme soit là ? Revoyait-il sa vie
65 passer au ralenti, entrevoyait-il la mort proche ?

    Cette larme grande comme un océan semblait contenir toutes les peines et toutes les joies d'une vie. Cette larme que verse tôt ou tard chaque être humain qui, au soir de sa vie…

70   Tamusi avait les yeux rivés à une fenêtre où s'animait un triste paysage d'automne. Le vent hurlait et finissait d'arracher les feuilles aux arbres. Tout à coup, au moment où personne ne s'y attendait, Tamusi s'est levé pour se diriger dehors. Une à une,
75 il a commencé à ramasser les feuilles tombées. Quelques instants plus tard, il est revenu à l'intérieur, s'est dirigé vers le maître de la maison et, serrant entre ses mains un bouquet de feuilles mortes, lui a dit : « Voyez comme c'est triste, votre arbre a
80 perdu ses feuilles ! Je vous les rapporte. » 🍃

Marc LABERGE, *Ma chasse-galerie*, recueil de contes avec CD audio, Montréal, Planète rebelle, 2001.

Claire Martin *(1914-)*

Vous pensez que les oignons verts ne sont bons qu'à cuisiner ? Détrompez-vous ! Dans cette nouvelle de Claire Martin, vous découvrirez qu'un simple paquet d'« échalotes » peut nouer ou dénouer une relation amoureuse.

Dans « Les oignons verts », Claire Martin aborde un thème qui lui est cher : l'amour. Elle nous le fait vivre sur fond de gastronomie. Un pur délice !

Longtemps journaliste, annonceure à la radio et à la télévision à Québec, puis à Montréal, Claire Martin a publié son premier livre, *Avec ou sans amour*, en 1958, à l'âge de 44 ans. Cette auteure a osé aborder des thèmes qui, dans les années soixante, étaient tabous au Québec : les relations extraconjugales, la critique de l'autorité paternelle, etc. Ses romans et récits autobiographiques ont provoqué de vifs débats dans la littérature québécoise de cette époque. Ce fut le cas entre autres avec *Doux-amer* (1960), *Quand j'aurai payé ton visage* (1962), *Dans un gant de fer* (1966) et *La joue droite* (1967). Après un silence d'une trentaine d'années, Claire Martin a publié *Toute une vie*, recueil de nouvelles duquel est tiré « Les oignons verts ».

Les oignons verts

Tout en rangeant, à l'étalage, de belles pommes rouges luisantes d'avoir été frottées, des pommes

odorantes, des pommes tentatrices, quoi, il lorgnait
les femmes qui franchissaient la porte. C'est l'heure
5 où elles viennent de quitter le travail. Ce n'est donc
pas celle des vieilles qui vont lentement en mar-
monnant des amabilités. «On ne trouve jamais ce
qu'on cherche», «Ça n'a pas l'air frais». Non, non,
c'est l'heure des belles jeunes femmes qui veulent
10 des fruits, des légumes, des fromages. Et pourtant,
en voilà une — une pêche — qui soupire, sa liste
d'achats entre les doigts.

    — Monsieur, je voudrais des échalotes. Ce n'est
tout de même rien de rare.

15   — Elles sont juste sous votre nez, madame.

    — Mademoiselle.

    — Mademoiselle… pardonnez-moi, madame.

Petit rire. Elle le trouve un brin insolent, juste un
brin. Il s'amuse, le beau jeune homme.

20   — Ce sont des échalotes grises. Certains les appel-
lent échalotes françaises parce que…

    — Ce n'est pas ça du tout que je cherche. Ce que
je veux, c'est vert, c'est fin…

    — Justement, madame, j'allais vous dire : parce
25 qu'on nomme souvent, par erreur, échalotes les
oignons verts. Alors, pour les distinguer les uns des
autres, certains disent…

    — J'ai compris, j'ai compris. Mais comment savoir
si celui qui m'a donné la recette connaissait toutes
30 ces chinoiseries ?

    — Et c'est une recette de ?

    — De piperade.

    — Échalote grise.

    — Vous êtes sûr ?

35   — Mettez les deux. Dans une piperade, on peut
se permettre des fantaisies.

Il la regarde de haut en bas. Il s'en permettrait bien une, de fantaisie.

— Bon. C'est bien. Je veux aussi des poivrons, 40 des tomates. Je prendrai aussi de ces prunes bleues pour une tarte.

— Des quetsches.

— Si vous voulez, ou peut-être plutôt les vertes.

— Des reines-claudes.

45 — Vous êtes de l'association des défenseurs du mot juste ? Que faisiez-vous avant d'être ici ?

— Professeur de littérature. Mon école a fermé.

— Et qu'a-t-on fait des élèves ?

— Je me le demande. Je crains le pire…

50 Elle rit en renversant un peu la tête. Joli cou, peau fine. Mmm ! Et puis, au-dessus, belles dents qui se montrent avec générosité. Il a envie de leur offrir une pomme.

Enfin, elle est allée à l'autre bout prendre des 55 œufs, de l'huile d'olive. Elle a une démarche gracieuse, sa jupe balance. Ah ! Il la suit des yeux. Une voix impatiente le sort de sa contemplation.

— C'est peut-être bien mon tour, maintenant ?

— Oh ! madame, ce sera une joie.

60 Il a le sentiment d'en remettre un peu, c'est qu'il est encore remué. Où peut-elle bien aller en sortant d'ici ? Allons, au travail ! Ah ! les clientes se suivent et ne se ressemblent pas.

— Pour vous, ce sera des…

65 — Patates.

Elle veut des patates, la laide. Bon. Et la jolie de tantôt franchit la porte sans se retourner, ou presque pas.

Toute la soirée, il s'est demandé ce qu'elle pouvait bien faire. La piperade, bien sûr, mais encore ?

70   Elle a un amoureux, la belle. C'est lui qui a donné
la recette. Une recette de sa mère, on sait bien!
Tablier, poêlon, cul-de-poule[1], et tout le tremble-
ment. Elle fait d'abord la tarte. Les tartes, c'est son
triomphe. La piperade, cela se fait à l'avant-dernière
75 minute. Elle y met tout son cœur. Fatiguée? Non,
jamais fatiguée. Bureau, course, cuisine. Rêve aussi.
«Dans une piperade, les oignons verts, une fantaisie.» Et puis, on redescend sur terre pour présen-
ter le plat.

80   — Qu'est-ce que c'est que cette piperade? C'est
pas la recette de maman. Avec des oignons verts?
Qui a jamais eu l'idée d'y mettre des oignons verts?

  Qui? Le beau jeune homme qui empile les
pommes, bien sûr. Mais il n'est pas temps d'en par-
85 ler. Silence. Et surtout, pas de larmes. Des oignons
verts, c'est vraiment trop mignon pour faire pleurer.

  — Eh bien! si tu n'es pas content, retourne chez
ta mère. Et tiens, rapporte ta recette en souvenir.

  — C'est vous! Encore des oignons verts?

90   — Non, non. Surtout pas. Je voudrais quelque
chose de doux. J'ai un goût de sucré, de crème.

  — Une simple compote de pommes, avec de la
crème épaisse, légèrement fouettée, vanillée? Vous
avez de la vanille, de la vraie?

95   — Je ne sais pas si elle est vraie.

  — Moi, j'en ai. Je la fais moi-même avec des gous-
ses et de l'alcool. C'est somptueux.

  — Ah! Vous me donnez des envies de desserts, des
désirs de…

100   — Et moi, croyez-vous que vous ne m'en donnez pas? Vous me donnez faim et soif. Vous le saviez. Vous l'avez su tout de suite.

Personne ne sait ce qu'elle a répondu. Elle est allée l'attendre au café d'en face, le souffle court, 105   chaude, comme peut l'être toute jeune femme sur qui la foudre s'est abattue, celle-là même du coup de foudre qui réussit si rarement ses points de chute.

Il lui a fait la compote de pommes, et la crème vanillée, bien autre chose aussi. Beaucoup d'années 110   ont passé mais ils ne les ont pas vues. Il lui dit toujours: «Ma fraise des bois, ma cerisette, ton visage est frais comme un fruit sous la rosée du matin.» Elle répond: «Et toi, ton souffle sent l'orange, tes mains ont un parfum de pomme et ton front de framboise, là juste au bord des cheveux.» C'est leur 115   Cantique des Cantiques[2].

[2] Recueil de poèmes qui fait partie de la Bible et qui a été composé vers 450 avant notre ère. Ces poèmes chantent l'amour «du bien-aimé et de la bien-aimée».

— Pas d'oignons verts?

— Si, quelquefois. Mais, ils ne les sentent pas, car ils n'en mangent qu'à l'unisson.

Claire MARTIN, *Toute une vie*, Québec, © Les éditions de L'instant même, 1999.

Sylvie Massicotte *(1959-)*

Un chien surgit de nulle part pour tenir compagnie à un homme en train de préparer une conférence dans un chalet. Cette amicale présence stimule la créativité de l'homme et lui apporte un bien-être inattendu. Jusqu'à ce que…

Dans ses nouvelles, Sylvie Massicotte, auteure québécoise, s'intéresse aux rares et fragiles instants d'harmonie au cours desquels on effleure le sens de son existence. Elle a publié trois recueils : *L'œil de verre* (1993), *Voyages et autres déplacements* (1995) et *Le cri des coquillages* (2000), d'où est extraite cette nouvelle.

Monsieur

Le silence était à recommencer. À cause d'un chien. Pas n'importe lequel. Monsieur. Il n'aurait pas abouti dans ma tanière, je n'aurais pas eu pitié… Et il ne s'agissait même pas de pitié, non. Plutôt
5 d'une sorte de sympathie pour Monsieur, c'est cela. J'ai éprouvé de la sympathie pour cet animal.

J'avais passé la journée à laisser le silence s'installer. C'était ce qu'il me fallait pour écrire ma conférence. J'étais venu pour cela, j'avais abandonné Lise et les

10 enfants, j'avais fait quelques courses et j'étais arrivé là, dans le silence à recréer. Chaque fois. J'avais réussi quelques étapes préliminaires, comme balayer les mouches au bord des fenêtres, vider la cendre du poêle à bois, le bourrer de papier journal avec
15 quelques branches bien sèches, prêtes à être consumées dans la soirée, j'avais nettoyé la table de travail, sorti mes notes et mon dictionnaire. J'étais prêt.

Les nouveaux voisins n'avaient pas d'ouvriers au manoir, ce n'était pas ce jour-là qu'ils allaient finir
20 de creuser la piscine, je m'en réjouissais. Et puis il ne semblait pas y avoir foule à la propriété, sinon j'aurais entendu des voix et des rires. On sirotait peut-être un verre sur la véranda, mais ce n'était pas en écoutant du jazz ou de la samba. Ou alors
25 on avait omis ce genre de détail, on bavardait sans musique de fond, pour une fois, et cela me paraissait presque suspect, mais j'allais en profiter. J'avais tout pour commencer à écrire cette foutue conférence. Tout. Mais comme lorsqu'on a tout, je n'ai
30 rien trouvé de mieux que de lever le nez. Essayer de voir plus loin, je veux dire, éloigner le regard de la page pour fureter entre les arbres, vérifier si un chevreuil n'allait pas venir me rendre visite ou si un dindon sauvage ne passerait pas par là pour me sur-
35 prendre avec sa tribu. Si je n'avais pas tendu le cou de cette façon, vraiment, ce jour-là, je n'aurais jamais pu apercevoir Monsieur.

Justement, il se trouve que j'ai vu ce chien. Sa couleur de chat siamois, sa démarche lente à la fois
40 digne et paresseuse, et sa manière d'être solitaire. Un chien qui se déplaçait tel un renard dans mon sous-bois, c'était bien ce qu'il fallait pour me distraire. J'avais tout juste eu le temps d'écrire «Madame» pour débuter ma conférence et voilà que j'ajoutai
45 «Monsieur». Je prononçai à voix haute : «Monsieur» par la fenêtre ouverte et le chien s'arrêta. Il leva son

museau vers le chalet, plia une oreille, alors je répé-
tai : « Monsieur… » Je le vis aussitôt s'avancer, tout
doucement, en direction de mon refuge, attention-
50 né comme un vieillard appliqué. Il inclina curieusement la tête en passant devant la tombe de Sortilège,
le chien d'avant mon mariage, mort le jour de la
cérémonie. Je n'ai jamais eu de chien depuis. Parce
que Lise ne les aime pas. Enfin, elle prétend le con-
55 traire, mais il est clair qu'elle n'a aucune communi-
cation avec les bêtes de tout genre, y compris avec
moi-même, parfois. Mais j'ai mon refuge, heureusement, et le prétexte des conférences à préparer.
Quand je rentre, ensuite, Lise m'aime. Et quand
60 Lise m'aime, les enfants aussi. Eux, ils adoreraient
avoir un chien, j'en suis sûr. Mais, vraiment, Lise n'en
veut pas.

Monsieur s'est assis au pied de l'escalier et il a
attendu. Je me suis interdit de me lever de ma chaise
65 pour aller le voir de plus près, tant et aussi longtemps
que je n'aurais pas avancé, au moins dans mon introduction. Et j'ai pondu, tant bien que mal, une demi-
page où je tournais autour du pot plutôt que
d'entrer dans le vif du sujet. Il est tellement difficile
70 de s'adresser à l'avance à des gens que l'on n'a jamais
rencontrés… On écrit ce qu'on va dire en sachant
que tout sera à refaire, à redire, à repenser. À quoi
bon, me suis-je finalement dit en abandonnant ma
plume sur le bureau. Monsieur avait fini par s'al-
75 longer et il semblait dormir, rien que d'un œil, la tête
posée sur ses pattes de devant. J'avais franchement
eu peur qu'il s'en aille. Régulièrement, en écrivant,
j'avais jeté un coup d'œil à l'extérieur, simplement
pour m'assurer de sa présence. Et il restait là, dans
80 l'attente de me voir, prenant de plus en plus ses aises.

Quand il m'a vu apparaître, derrière la mousti-
quaire, il a levé doucement la tête, sans sursauter. Il
s'est mis à battre de la queue. Je suis sorti, il s'est assis

bien droit et m'a donné la patte. Un vrai gentleman.

85 En sentant à quel point le dessous de sa patte était rugueux, usé, très très rêche, je me suis dit que Monsieur devait être âgé. Il y avait aussi cette sorte de voile, sur son regard, qui laissait paraître un air de fatigue, ou était-ce de la tristesse ? Je lui ai caressé

90 la tête, en me posant la question, puis je lui ai annoncé que j'allais retourner à ma table de travail. Je lui ai tourné le dos pour rentrer et, au moment où j'ai voulu refermer derrière moi, il a foncé à l'intérieur. J'aurais pu m'en douter. « Ça ressemble peut-être à

95 une niche, mais je te signale que c'est mon chalet ! » lui ai-je lancé un peu trop tard. Il était déjà assis sur la serpillière qui traînait près de l'évier.

« Un peu soif, Monsieur ? » lui ai-je demandé avant de commencer à farfouiller dans l'armoire où j'au-

100 rais bien aimé retrouver le vieux bol de Sortilège. Lise avait dû le jeter depuis longtemps. Je me suis donc contenté d'un ancien plat de margarine dans lequel j'ai versé de l'eau fraîche et lancé quelques glaçons. Monsieur a pris le temps de lever la tête vers

105 moi, en signe de reconnaissance, avant de plonger dans l'eau sa vieille langue qui devait être encore plus rugueuse que son dessous de pattes. En tout cas, elle n'était pas très agile car il buvait maladroitement, en éclaboussant le linoléum craquelé que je

110 n'ai encore jamais changé, au grand désespoir de Lise. Mon chalet est un lieu où ce genre de chose ne devrait pas compter. Mais ma femme a toujours prétendu que, quand il pleut, un beau linoléum lisse et clair, ça aide. Peut-être a-t-elle raison. Toutefois,

115 s'il y avait eu un beau linoléum, mes yeux s'y seraient peut-être posés et je n'aurais pas pu apercevoir Monsieur par la fenêtre ouverte. Et là, je trouvais qu'il faisait bien, ce chien, sur un linoléum avec lequel il n'y avait absolument pas de problème,

120 vraiment.

J'ai laissé boire la bête et suis allé m'installer sur le canapé mou, voisin de ma table de travail. J'ai tendu le bras pour y saisir ma feuille à demi couverte de mots et j'ai lu : « Madame, Monsieur… » Le chien
125 s'est tout de suite immobilisé, en plein milieu d'une lapée. Franchement, il répondait très bien à ce nom.

« Monsieur », ai-je répété pour qu'il vienne s'asseoir près du canapé. Il a tout de suite obéi, a même posé sa tête sur ma cuisse, comme s'il avait attendu
130 la suite de mon discours. J'ai donc lu l'introduction de ma conférence et, ma foi, j'avais déjà un public. Je me sentais motivé à continuer et j'allais me lever, pour reprendre place à ma table, quand j'ai constaté que Monsieur avait bavé sur mon pantalon. Ce chien
135 devait avoir du saint-bernard dans le sang, c'est ce que j'ai pensé en épongeant le tissu imbibé de salive. Après tout, il ne s'agissait que d'un vieux vêtement pour la campagne. Et je suis donc retourné écrire, tout en craignant un peu, tout de même, que
140 Monsieur me demande la porte. J'étais attaché à lui. Mais peut-être que lui aussi s'était attaché à moi puisqu'il s'allongeait sur la carpette orange du salon, prêt à patienter, à attendre que j'aie terminé quelques pages de plus.

145 Cette fois j'avais commencé à développer mon propos de manière efficace. Je m'étais surpassé, j'ai même cru que jamais je n'avais été aussi précis sur le sujet.

« Merci Monsieur, échappai-je en repoussant mes feuilles pour un moment. Et si nous allions nous
150 promener ? »

Sa queue frappait énergiquement le petit tapis. Je crois qu'il avait très envie de m'accompagner. Le téléphone a sonné.

Deux coups brefs et consécutifs, c'était chez moi.
155 Monsieur m'observait avec l'air de se demander si j'allais répondre ou privilégier notre promenade.

J'hésitais, je l'avoue. Quand j'ai fini par décrocher, que j'ai su que c'était Lise, il a tout de suite cessé de battre de la queue. Il a appuyé son menton avec
160 ennui sur sa patte recourbée. Ça n'allait pas être long. Cela, il l'ignorait certainement.

« On dirait que tu n'es pas seul, a lancé Lise.

— Tu as raison, on n'est jamais seul à la campagne. Surtout avec les nouveaux propriétaires du
165 manoir !

— Ils font du vacarme ?… Je ne les entends pas…

— Non, ça va. C'est d'ailleurs un peu louche ! J'allais justement faire une promenade pour vérifier s'ils ne sont pas morts. »

170 Lise a ri, presque rassurée. Moi, je me trouvais soulagé d'avoir réussi à lui répondre sans parler de Monsieur. Il avait gardé un œil ouvert, presque éteint, sur moi. Je lui fis signe de me suivre, mais il ne bougea pas.

175 « Monsieur ! » lui criai-je.

Alors il s'étira, se leva, secoua énergiquement son pelage et reprit une démarche lente pour me rejoindre. C'est ainsi que nous avons cheminé, tous les deux, d'abord dans le sous-bois, puis dans le champ
180 de fleurs sauvages qui sépare ma bicoque du manoir. C'est là que j'ai lancé une branche pour que Monsieur coure la chercher et me la rapporte, comme font tous les chiens, mais il m'a alors dévisagé, l'air un peu déçu qu'un geste aussi banal puisse
185 venir de moi. J'ai compris qu'il n'irait jamais vers ce bout de bois, mais était-ce par paresse, ou parce qu'il était vieux, je ne savais pas. Je lui ai tapoté le flanc en murmurant « Ce n'est pas important, mon brave Monsieur » et c'est alors qu'il a fait trois petits
190 sauts en avant, comme pour aller saisir quelque chose entre ses dents serrées, je ne voyais pas quoi. En tout cas il tirait, s'acharnait, jusqu'à ce que, d'un

ultime coup de tête, il fasse céder la touffe de ce qui me semblait être du chiendent. Il me l'apporta,
195 dans une course presque juvénile. J'acceptai d'ouvrir la main à ces herbes folles qu'il me tendait avec insistance et j'aperçus une marguerite au milieu de son fouillis de tiges. Monsieur cueillait-il des fleurs, je préférais ne pas y croire, sinon j'en aurais pleuré.
200 « Merci, mon cher Monsieur… » me suis-je contenté de balbutier derrière lui parce que, devant, il y avait des voix qui venaient du manoir. Nous passions près du sentier qui y menait. C'est précisément là que j'ai entendu une femme crier « Gi-gi ! Gi-gi ! ».
205 Monsieur a baissé la tête, a ralenti le pas, mais sa queue battait l'air quand est apparue cette femme qui m'a souri en tapant des mains. Elle répétait « Gi-gi ! » à l'attention de mon pauvre Monsieur qui n'avançait plus.

210 « C'est un bon chien… lui dis-je à elle et à la tenancière du manoir, qui l'accompagnait.

— Oui, oui… C'était une bonne chienne, mais maintenant elle n'obéit plus. Elle devient sourde ! Et puis elle bave…

215 — Il a du saint-bernard !

— Oh non… Pas du tout… Non. C'est qu'elle est vieille, et elle n'écoute plus. On a décidé de la faire endormir. De toute façon, ce n'est plus vraiment possible, et vu mon état… »

220 En se frottant le ventre avec la main, elle ressemblait à quelqu'un qui avait trop mangé. Elle me souriait en montrant toutes ses dents récemment blanchies.

« Ce chien cueille des fleurs… ajoutai-je en déses-
225 poir de cause, brandissant faiblement ma marguerite.

— Et vous imaginez le ravage qu'elle me fait dans le jardin ? Non, vraiment, elle a fait son temps. Viens Gigi ! Viens… Voyez qu'elle n'écoute plus ! »

La femme attrapa Monsieur par la peau du cou
230 et moi je rebroussai chemin en me disant à quel
point c'était dommage que Lise n'aime pas les
chiens. Et je suis rentré au chalet. Le silence était à
recommencer.

Sylvie MASSICOTTE, *Le cri des coquillages*, Québec, © Les Éditions de
L'instant même, 1993.

Richard Matheson (1926-)

Scénariste de séries télévisées très populaires dont *Twilight Zone* et *Star Trek*, Richard Matheson est d'abord l'un des noms importants de la littérature fantastique du xxe siècle. Il a publié des romans (*Je suis une légende*, 1954, *L'homme qui rétrécit*, 1956), qui ont été portés à l'écran. Mais il s'est adonné surtout à la nouvelle dont la première, *Journal d'un monstre* (1950) a connu un succès immédiat et retentissant. Il a aussi touché au cinéma et signé le scénario du premier film de Steven Spielberg, *Duel*.

«Escamotage» (1953) est une histoire fantastique sans monstres, qui frise tout de même l'horreur. Il s'agit d'un récit étrange, qui se déroule dans un quotidien tout ce qu'il y a de plus banal. Et au fil de la lecture, le malaise s'installe...

Escamotage

Pages reproduites d'après un cahier manuscrit trouvé, voici deux semaines, dans un drugstore[1] de Brooklyn[2]. Sur la même table, était posée une tasse de café à demi vide. D'après les dires du propriétaire, cette table était
5 *inoccupée depuis plus de trois heures au moment où il remarqua le cahier pour la première fois.*

[1] Pharmacie.

[2] Quartier de la ville de New York.

Samedi, début de la matinée.

Je ne devrais pas parler de ces choses par écrit. Si Mary mettait la main dessus ? Et puis ? Ce serait
10 le point final, voilà tout. Cinq ans semés au vent.

Mais j'en ai besoin. J'ai trop l'habitude d'écrire. Impossible sans cela de connaître la paix. Poser mes pensées noir sur blanc, les extérioriser, me simplifier l'esprit. Mais il est si difficile de simplifier les choses
15 et si facile de les compliquer.

Songer aux mois passés.

Quel a été le début ? Une dispute, bien sûr. Tant et tant de disputes depuis notre mariage. Et toujours la même, c'est ce qui est horrible.

20 L'argent.

Elle dit :

— Il n'est pas question de confiance en ton talent. Il est question de factures et de savoir si oui ou non nous avons de quoi les payer.

25 — Et des factures pour payer quoi ? Le nécessaire ? Non. Rien que le superflu.

— Le superflu !

Et nous voilà repartis. Dieu, à quel point la vie sans assez d'argent peut être atroce. Un manque que
30 rien ne peut combler. Comment écrire en paix avec la chaîne des soucis d'argent — d'argent — d'argent ? Télévision, réfrigérateur, machine à laver — rien encore de payé jusqu'au bout. Et le lit neuf dont elle a envie…

35 Et moi, stupide, faisant empirer la situation.

Pourquoi avoir quitté l'appartement ce soir-là ? La dispute, oui, mais il y avait eu toutes les autres. L'orgueil, c'est tout. Sept ans — *sept !* — consacrés à écrire pour gagner en tout 316 dollars ! Et mes
40 soirées passées à ce sinistre travail de dactylographie

à mi-temps, Mary obligée d'y travailler aussi. Dieu sait qu'elle a parfaitement le droit de douter de moi, parfaitement le droit de vouloir que j'accepte cet emploi offert par Jim.

45 Tout est ma faute. Admettre mon échec, faire le geste qu'il fallait — tout était résolu. Plus de travail le soir. Et Mary à la maison comme elle le désire[3], là où doit être sa place. Le geste qu'il fallait, rien d'autre.

50 Et j'ai fait celui qu'il ne fallait pas. De quoi être malade.

Mike et moi en virée, comme deux idiots. La rencontre de Jane et Sally. Et des mois ensuite à écarter l'idée que nous nous conduisions comme des idiots.
55 À nous perdre dans ce que nous appelions une «expérience». À faire les jolis cœurs en oubliant que nous étions mariés.

Et puis la nuit dernière, tous les deux, avec elles, dans leur studio…

60 Peur de dire le mot? Imbécile!

Adultère.

Pourquoi tout est-il si embrouillé? J'aime Mary. *Je l'aime.* Et tout en l'aimant, j'ai fait cette chose.

Et ce qui est pis, j'ai eu plaisir à la faire. Jane est
65 tendre, compréhensive, passionnée. Elle est le symbole des bonheurs perdus. C'était merveilleux. Inutile de mentir.

Comment le mal peut-il être merveilleux? La cruauté source de joie? Tout est perversité, confu-
70 sion, désordre et colère.

Samedi après-midi.
Dieu merci, elle m'a pardonné. Jamais je ne reverrai Jane. Tout va s'arranger.

[3] Cette nouvelle a été écrite au début des années cinquante. À cette époque, la plupart des hommes mariés devaient gagner seuls le revenu familial, la majorité des femmes n'occupant pas un emploi rémunéré.

Je suis allé m'asseoir sur le lit ce matin, elle dor-
75 mait encore. Elle s'est éveillée et m'a considéré avec
de grands yeux, puis elle a regardé l'heure. Elle avait
pleuré.

— Où étais-tu ? a-t-elle demandé de cette voix
fragile de petite fille qu'elle prend quand elle a peur.
80 J'ai dit :

— Avec Mike. Nous avons bu et parlé toute la nuit.

Elle m'a regardé pendant une seconde encore. Puis,
lentement, elle a pris ma main et l'a pressée contre
sa joue.

85 — Pardonne-moi, a-t-elle dit, et les larmes sont
venues à ses yeux.

J'ai enfoui ma tête près de la sienne pour qu'elle
ne voie pas mon visage.

— Oh ! Mary, toi aussi, pardonne-moi.

90 Je ne lui dirai jamais la vérité. Elle compte trop
pour moi. Je ne *peux pas* la perdre.

Samedi soir.

Nous avons été commander un nouveau lit cet
après-midi.

95 — Mon chéri, nous ne pouvons pas nous l'offrir,
a-t-elle dit.

— Ne t'inquiète pas. On était si mal dans le vieux.
Je veux que ma petite fille fasse de beaux rêves.

Elle m'a embrassé la joue, heureuse. Elle s'est lais-
100 sée rebondir sur le lit, comme une enfant ravie.

— Regarde ! criait-elle. Comme il est moelleux !

Tout va bien. Tout sauf la prochaine fournée de
factures au courrier. Tout, sauf ma dernière histoire
qui ne veut pas démarrer. Tout sauf mon roman qui
105 a été refusé cinq fois. Il *faut* que Burney House[4]
l'accepte. Ils l'ont gardé longtemps. J'y compte. J'ai

[4] Éditeur new-yorkais important.

atteint le point critique en ce qui concerne ma carrière. En ce qui concerne n'importe quoi. De plus en plus j'ai l'impression d'être un ressort débandé.

110   Enfin… tout va bien avec Mary.

Dimanche soir.

Retour des ennuis. Encore une dispute. Je ne sais même plus à propos de quoi. Elle boude. J'écume. Je suis incapable d'écrire quand je suis en colère. Elle
115   le sait.

Envie de téléphoner à Jane. Elle au moins s'intéresse à ce que je fais. Envie de tout laisser tomber, de me saouler, de me jeter à l'eau, n'importe quoi. Pas étonnant que les bébés soient heureux. Ils ont
120   la vie simple. Un peu faim, un peu froid, un peu peur dans le noir. Rien de plus. À quoi bon devenir un homme ? La vie est une fumisterie.

Mary m'appelle pour que je vienne dîner. Pas envie de manger. Pas même envie de rester à la mai-
125   son. Peut-être téléphonerai-je à Jane un peu plus tard. Juste pour lui dire bonjour.

Lundi matin.

Nom de Dieu, nom de Dieu !

Garder le manuscrit plus de deux mois, ça ne leur
130   suffisait pas, oh, non ! Il fallait encore qu'ils l'inondent de café et qu'ils me le renvoient, en le refusant avec une *circulaire* ! Pouvoir les tuer ! Est-ce qu'ils se rendent compte de ce qu'ils font ?

Mary a vu la circulaire.

135   — Alors, et *maintenant* ? a-t-elle dit.

Le mépris dans sa voix.

— Maintenant ?

J'essayais de ne pas exploser.

— Tu te crois toujours capable d'être écrivain?

140 *J'ai explosé.*

— Bien sûr, ils ont raison, ils sont infaillibles, hein? Je ne vaux rien, puisqu'ils l'ont décrété?

— Voilà sept ans que ça dure. Sans résultat.

— Et ça continuera encore autant. Cent ans, s'il le **145** faut.

— Tu refuses de prendre le travail que te propose Jim?

— Exactement.

— Tu devais le faire en cas d'échec du livre.

150 — *J'ai* un travail. Et toi aussi! Et c'est comme ça et ça le restera.

— Possible, mais *moi* je ne resterai pas!

Qu'elle me quitte! Et après? Lassitude de tout. Factures… écritures… Échecs, *échecs*! Et la petite vie **155** ancienne qui s'écoule goutte à goutte, édifiant la muraille de ses complexités comme un fou maniant un jeu de cubes.

Toi! Maître du monde, régulateur de l'univers. S'il y a *quelqu'un* pour m'entendre — supprime! **160** Simplifie le monde! Je ne crois en rien mais j'abandonnerais… *n'importe quoi sur terre*, si seulement…

Quelle importance? Tout m'est égal.

Je téléphonerai à Jane aujourd'hui.

Lundi après-midi.

165 Je suis sorti pour appeler Jane. Mary va voir sa sœur ce soir. Elle n'a pas parlé de m'y emmener, et ce n'est pas moi qui mettrai la chose sur le tapis.

J'ai déjà appelé Jane hier soir, chez elle au Stanley Club, et la standardiste m'a répondu qu'elle était **170** sortie. Je pensais la joindre aujourd'hui à son bureau.

Je suis allé téléphoner au *drugstore*. Se fier à sa mémoire pour retenir les numéros, c'est la meilleure façon de les oublier. J'ai pourtant appelé celui-ci assez souvent. Impossible de m'en souvenir.

175   Elle travaille aux bureaux d'un magazine — *Design Handbook*, ou *Designer's Handbook*, ou quelque chose comme ça. Curieux, oublié ça aussi. Jamais dû y faire très attention.

Mais je me rappelle l'endroit. Je suis passé la
180   chercher un jour. On était allés déjeuner ensemble, Mary me croyait à la bibliothèque municipale.

J'ai pris l'annuaire. Je savais que le numéro du magazine de Jane était en haut de la colonne de droite, sur une page à droite. J'y avais regardé une
185   douzaine de fois.

Aujourd'hui, il n'y était pas.

J'ai trouvé le mot *Design* avec diverses raisons sociales. Mais c'était à gauche, en bas de la colonne de gauche, juste l'opposé. Et je ne retrouvais pas le
190   nom. D'habitude, dès que je le voyais, je savais que c'était celui-ci et aussitôt je reconnaissais le numéro. Aujourd'hui, non.

J'ai parcouru la liste dans tous les sens. Rien qui ressemble à un *Design Handbook*. Finalement, j'ai
195   pris le numéro de *Design Magazine*, mais j'avais le sentiment que ce n'était pas celui que je cherchais.

Je finirai cela plus tard. Mary m'appelle pour me mettre à table. Déjeuner, dîner, est-ce que je sais? En tout cas le grand repas de la journée puisque nous
200   travaillons tous les deux le soir.

Plus tard.

Ce repas m'a un peu apaisé. J'en avais besoin. Ce coup de téléphone m'a rendu nerveux.

J'ai fait le numéro. Une femme a répondu.

205 — *Design Magazine*, a-t-elle dit.

J'ai demandé à parler à miss Lane.

— Pardon ?

— Miss Lane.

Elle a dit : « Un moment. » Et j'ai su que ce n'était
210 pas le bon numéro. D'habitude la téléphoniste me
branche immédiatement sur la ligne de Jane.

— Voulez-vous me rappeler le nom ? a-t-elle
demandé encore.

— Miss Lane. J'ai dû me tromper de numéro…

215 — Vous voulez peut-être dire Mr. Payne ?

— Non, non. Excusez-moi, c'est une erreur.

J'ai raccroché de mauvaise humeur. Ce numéro
fantôme que j'avais regardé je ne sais combien de
fois… cela manquait de sel.

220 J'ai pensé que j'avais vu un vieil annuaire et je suis
allé en consulter un autre. C'était le même.

Je l'appellerai chez elle ce soir, impossible de faire
autrement. Je veux la joindre aujourd'hui, pour être
sûr qu'elle me réserve sa soirée de samedi.

225 Je pense à quelque chose. Cette téléphoniste. Sa
voix. Je jurerais que c'était elle que j'entendais
les autres fois.

Drôle d'idée.

Lundi soir.

230 J'ai appelé le Stanley Club pendant que Mary
était descendue chercher deux gobelets de café.

J'ai dit à la standardiste, comme chaque fois :

— Je voudrais parler à miss Lane, s'il vous plaît.

— Ne quittez pas.

235 Silence. Le temps de m'impatienter, puis un
déclic :

— Quel nom ?

— Miss *Lane*. Je l'ai appelée je ne sais combien de fois.

240 — Je vais revoir la liste.

Nouveau silence. Et:

— Il n'y a personne de ce nom ici, monsieur.

— Mais je vous dis que je l'ai appelée…

— Êtes-vous sûr que c'est le bon numéro?

245 — Oui! C'est *bien* le Stanley Club?

— En effet.

— Eh bien, c'est là que je téléphone.

— Que voulez-vous que je vous dise? En tout cas, aucune miss Lane n'habite ici.

250 — Mais j'ai téléphoné *hier soir*! Vous m'avez répondu qu'elle était sortie.

— Je suis désolée. Je ne me rappelle pas.

— Enfin, c'est impossible!

— Je veux bien regarder encore une fois, mais je
255 vous assure que c'est inutile.

— Et personne de ce nom n'a déménagé ces jours derniers?

— Pas une chambre vacante depuis un an. Vous savez, à New York, avec la crise du logement…

260 — Je sais.

J'ai raccroché.

Je suis retourné à mon bureau. Mary était rentrée du *drugstore*. Elle m'a dit que mon café refroidissait. J'ai prétendu que j'avais appelé Jim au sujet de cette place
265 qu'il me propose. Mensonge peu indiqué. Maintenant elle aura une occasion de remettre ça sur le tapis.

J'ai bu mon café puis j'ai essayé de travailler. Mais j'avais l'esprit ailleurs.

Il fallait bien qu'elle soit quelque part. Je ne l'avais
270 pas rêvée. Pas plus que Mike n'avait rêvé Sally…

Sally! Elle aussi habitait là!

J'ai prétexté une migraine et des cachets à aller acheter. Il y en avait à la maison. J'ai dit que je ne supportais pas cette marque. Les plus futiles men-
275 songes!

J'ai couru au *drugstore*. La même standardiste m'a répondu.

— Est-ce que miss Sally Norton est ici?

— Ne quittez pas.

280 Je me suis senti l'estomac noué. D'abord, elle connaissait les noms des locataires par cœur. Jane et Sally habitaient le Club depuis *deux ans*.

Et alors:

— Désolée, monsieur. Il n'y a personne de ce nom
285 ici.

J'ai poussé un gémissement.

— Quelque chose qui ne va pas, monsieur?

— Pas de Jane Lane et pas de Sally Norton?

— Êtes-vous la personne qui a appelé tout à
290 l'heure?

— Oui.

— Écoutez, si c'est une plaisanterie…

— Une plaisanterie! Hier soir j'ai téléphoné et vous m'avez dit que miss Lane était sortie, en me
295 demandant s'il y avait un message. J'ai dit que non. Et maintenant c'est vous qui me prétendez…

— Je ne sais que vous dire. Je ne me rappelle rien pour hier soir. Si vous voulez le directeur…

— Non, inutile.

300 J'ai raccroché, puis j'ai appelé Mike. Il n'était pas chez lui. Sa femme Gaby m'a répondu qu'il dînait dehors.

J'étais un peu nerveux, j'ai déraillé:

— Avec des amis hommes?

305   Elle a paru choquée.

— *J'espère* bien que oui !

Je commence à avoir peur.

Mardi soir.

J'ai rappelé Mike ce soir. Je lui ai demandé s'il
310 savait quelque chose au sujet de Sally.

— Qui ?

— Sally.

— Sally qui ?

— Tu le sais bien, faux jeton !

315   — C'est un gag ?

— On le dirait, oui ! Si on parlait sérieusement ?

— Reprenons au début. Qui diable est Sally ?

— Tu ne connais pas Sally Norton ?

— Non. Qui est-ce ?

320   — Tu n'as jamais eu rendez-vous avec elle, Jane
Lane et moi ?

— Jane Lane ! De qui parles-tu ?

— Tu ne connais pas non plus Jane Lane ?

— *Non!* Et je ne te trouve pas drôle. Je te suggère
325 même d'arrêter. Entre hommes mariés, c'est…

— Écoute ! ai-je crié. Où étais-tu samedi soir il y
a trois semaines ?

Il a gardé le silence un moment.

— Ce n'était pas la soirée que nous avons passée
330 en célibataires pendant que Mary et Glad étaient à
une présentation de mode ?

— En célibataires ! Sans personne d'autre ?

— Qui donc ?

— Pas de filles ? Sally ? Jane ?

335   — Ça y est, il recommence ! a-t-il grogné. Écoute, mon vieux, qu'est-ce qui t'arrive ? Tu n'as pas l'air de tourner rond ?

Je me suis effondré contre la cloison de la cabine téléphonique.

340   — Non, ai-je murmuré. Ça va.

— Bien vrai ? Tu as l'air dans un état effrayant.

J'ai raccroché. Je *suis* dans un état effrayant. Comme un affamé dans un monde où il n'y a pas une miette pour le nourrir.

345   Qu'est-ce qui se passe ?

Mercredi après-midi.

Un seul moyen de savoir si Jane et Sally avaient réellement disparu.

J'ai rencontré Jane par l'intermédiaire d'un de
350 mes amis de collège. Tous deux étaient de Chicago. C'est lui qui m'a donné son adresse à New York, le Stanley Club. Il ignorait que j'étais marié.

Je rendis visite à Jane, je sortis avec elle, et Mike avec son amie Sally. C'est ainsi que se sont passées
355 les choses. Je *sais* qu'elles se sont produites.

Aujourd'hui, j'ai donc écrit à mon ami Dave. Je lui disais ce qui est arrivé. Je lui demandais d'aller se renseigner chez les parents de Jane et de me dire s'il s'agissait d'une farce ou d'un concours de coïnci-
360 dences. Puis j'ai pris mon répertoire.

Le nom de Dave ne s'y trouvait pas.

Est-ce que je deviens vraiment fou ? Je sais par-faitement bien que cette adresse était là. Je me rap-pelle encore le soir où je l'ai inscrite pour ne pas
365 perdre contact avec lui après notre sortie du collège. Je me rappelle même la tache d'encre faite par ma plume qui avait glissé.

La page est blanche.

Je me souviens de lui, de son nom, de son aspect,
370 de sa manière de parler, des choses que nous avons
faites ensemble, des classes que nous avons suivies.

J'avais même gardé une lettre de lui qu'il avait
envoyée au collège, une année pendant les vacances
de Pâques. Mike était avec moi dans ma chambre
375 quand je l'avais reçue. Comme nous habitions New
York, nous n'avions pas le temps d'aller dans nos
familles, le congé ne durant que quelques jours.

Mais Dave avait pu se rendre chez lui, à Chicago,
et de là il nous avait envoyé cette lettre très drôle,
380 par exprès. Il l'avait cachetée à la cire, avec la marque
de sa bague en guise de sceau, pour plaisanter.

La lettre était dans mon tiroir aux vieux souvenirs.

Elle n'y est plus.

385 Et je possédais trois photos de Dave, prises lors de
la remise de notre diplôme de fin d'études. Il y en
avait deux dans mon album de photos. Elles y sont
toujours.

Mais il ne figure plus dessus.

390 On y voit seulement les jardins du collège avec les
bâtiments en arrière-plan.

J'ai peur d'aller plus loin. Je pourrais écrire ou téléphoner au collège et leur demander si Dave a jamais
été leur élève.

395 Mais j'ai peur d'essayer.

Jeudi après-midi.

Je suis allé aujourd'hui voir Jim à son bureau à
Hampstead. Il a paru surpris de me voir.

— Ne me dis pas que tu as pris le train jusqu'ici
400 pour m'annoncer que tu acceptais ce travail.

Je lui ai demandé :

— Jim, m'as-tu jamais entendu parler d'une fille à New York du nom de Jane ?

— Jane ? Non, je ne crois pas.

405 — Voyons, Jim, j'ai forcément fait allusion à elle. Tiens, rappelle-toi la dernière fois que nous avons joué au poker avec Mike. Je t'ai parlé d'elle à ce moment-là.

— Je ne me rappelle pas, Bob. En quoi cela te 410 concerne-t-il ?

— Il m'est impossible de la retrouver. Pas plus que la fille avec qui sortait Mike. Et Mike nie avoir jamais connu l'une et l'autre.

Devant son air interloqué, je lui ai redonné des 415 explications. Alors il s'est exclamé :

— Eh bien, c'est du beau ! Deux hommes mariés courant les jupons…

— Nous étions amis, rien d'autre. C'est un camarade de collège qui me les avait présentées. Ne va pas 420 te faire des idées.

— Bon, laissons tomber. Et qu'est-ce que je viens faire là-dedans ?

— Je ne *peux* pas les retrouver. Elles ne sont plus là. Je ne peux même pas prouver qu'elles ont existé.

425 Il a haussé les épaules. « Et puis ? » Et il m'a demandé si Mary était au courant. J'ai omis de répondre.

— Je ne t'ai jamais mentionné Jane dans une de mes lettres ? ai-je continué.

— Je ne pourrais pas te le dire. Je ne conserve 430 aucune lettre.

Je le quittai peu après. Il devenait trop curieux. Et je vois d'ici le processus. Il en parle à sa femme, sa femme en parle à Mary — et le feu est mis aux poudres.

435 En sortant de la gare à la fin de l'après-midi, j'ai eu le sentiment atroce d'être quelque chose de *temporaire*. Si je m'asseyais quelque part, c'était comme de reposer sur le vide.

Je suppose que j'avais les nerfs à bout. Parce que **440** j'ai heurté un passant exprès pour voir s'il s'apercevait de ma présence et de mon contact. Il a braillé et m'a traité de tous les noms.

Je l'aurais embrassé.

Jeudi soir.

445 J'ai rappelé Mike pour savoir s'il se rappelait Dave au collège.

La sonnerie a été interrompue par un déclic. J'ai entendu la voix d'une téléphoniste :

— Quel numéro demandez-vous, monsieur ?

450 Un frisson m'a parcouru l'échine. J'ai donné le numéro. Elle m'a répondu qu'il n'y avait pas d'abonné.

L'appareil m'est tombé des mains. Mary est venue voir ce qui se passait. La voix de la téléphoniste répé- **455** tait : «Allô... allô... allô...» J'ai replacé en hâte le récepteur sur son support.

— Qu'est-ce que tu fais ? a dit Mary.

— Rien. J'ai fait tomber le téléphone.

Je me suis assis à mon bureau. Je tremblais comme **460** une feuille.

J'ai peur de parler à Mary de Mike et de Gladys.

J'ai peur qu'elle me réponde qu'elle n'a jamais entendu prononcer leurs noms.

Vendredi.

465 J'ai vérifié les choses en ce qui concernait le magazine *Design Handbook*. Les Renseignements m'ont appris qu'aucune publication portant ce nom n'était répertoriée. Je suis quand même allé voir.

J'ai reconnu l'immeuble. J'ai regardé la liste des
470 bureaux dans le vestibule. Je savais que je n'y trouverais pas le magazine, mais cela m'a causé malgré tout un choc.

J'ai pris l'ascenseur, hébété, l'estomac serré. J'avais l'impression d'être emmené à la dérive loin de tout
475 ce qui existe.

Je suis descendu au troisième. Je me suis retrouvé à l'endroit exact où j'étais venu chercher Jane une fois.

C'était une compagnie de textiles.

— Il n'y a jamais eu de magazine installé ici ? ai-
480 je demandé à la réception.

— Pas que je me souvienne, a répondu l'employée. Mais je ne suis là que depuis trois ans.

Je suis rentré. J'ai déclaré à Mary que je me sentais malade, que je n'irais pas travailler ce soir. Elle
485 m'a dit qu'elle non plus. Je suis allé dans notre chambre pour être seul. Je suis resté à l'endroit où nous devons placer le nouveau lit, à sa livraison la semaine prochaine.

Mary m'a suivi. Elle est restée sur le seuil.

490 — Bob, qu'est-ce qu'il y a ? Je n'ai pas le droit de savoir ?

Sa voix était nerveuse.

— Il n'y a rien.

— Je t'en prie, ne dis pas non. Je ne suis pas
495 aveugle.

J'ai eu envie de courir vers elle. Mais je me suis détourné.

— J'ai une lettre à écrire.

— À qui ?

500   Je me suis emporté.

— Cela me regarde.

Et puis je lui ai dit que c'était à Jim.

Elle m'a regardé dans les yeux.

— J'aimerais te croire.

505   — Que signifie…?

Elle m'a tourné le dos.

— Alors, tu feras mes amitiés à… *Jim*.

Sa voix s'est brisée. J'ai frissonné à l'entendre.

J'ai fait la lettre. J'ai décidé que Jim pouvait
510   m'aider. La situation est trop désespérée pour garder
le secret. Je lui ai dit que Mike avait disparu. Je lui
ai demandé s'il se souvenait de Mike.

Curieux, ma main tremblait à peine. Peut-être
est-ce ainsi quand on n'appartient presque plus à la
515   terre.

Samedi.

Mary est partie tôt, pour un travail de dactylo
urgent.

Après mon petit déjeuner, je suis allé chercher de
520   l'argent à la banque, pour payer le nouveau lit.

J'ai rempli un chèque de cent dollars. Je l'ai tendu
avec mon carnet de dépôts au caissier.

Il a ouvert le carnet et m'a regardé en fronçant les
sourcils.

525   — Vous vous croyez drôle?

— Comment cela?

Il a poussé le carnet vers moi en appelant:

— Au suivant.

Je crois que j'ai crié.

530   — Qu'est-ce qui vous prend?

Un homme s'est levé d'un bureau et s'est appro-
ché avec un air important. Derrière moi, une femme
a dit :

— Ne restez pas devant le guichet, monsieur.

535 — De quoi s'agit-il ? a demandé l'homme.

— Votre caissier refuse d'honorer mon chèque.

Il a pris le carnet de dépôts que je lui tendais, et
l'a ouvert. Il a levé les yeux avec surprise. Puis d'une
voix calme :

540 — Ce carnet est vierge, monsieur.

Je le lui ai arraché des doigts, le cœur battant.

Il n'avait jamais été utilisé.

J'ai gémi :

— Oh ! mon Dieu…

545 — Voulez-vous que nous vérifiions le numéro de
ce carnet ?

Mais il n'y avait pas même de numéro. Je le voyais.
Les larmes me vinrent aux yeux.

— Non, ai-je dit. Non…

550 Je suis sorti tandis qu'il me rappelait :

— Une seconde, monsieur…

J'ai couru jusqu'à la maison.

J'ai attendu dans l'entrée le retour de Mary. Je
continue d'attendre en ce moment. Je regarde le
555 carnet de dépôts. À la ligne où nous avions signé nos
deux noms. Aux cases où étaient inscrits nos dépôts.
Cinquante dollars de ses parents pour notre premier
anniversaire de mariage. Deux cent trente dollars
de la caisse des anciens combattants. Vingt dollars.
560 Dix dollars…

Partout, rien que du vide.

Tout s'en va. Jane. Sally. Mike. Les noms s'envo-
lent et les gens avec.

Et maintenant ce carnet. Quoi d'autre ensuite ?

565   *Plus tard.*

Je sais quoi.

Mary n'est pas rentrée.

J'ai appelé le bureau. Sam a répondu. J'ai demandé si Mary était là. Il m'a dit que je devais faire erreur,
570 qu'aucune Mary ne travaillait chez lui. J'ai donné mon nom. Je lui ai demandé si *moi* j'y travaillais.

— Assez blagué, a-t-il dit. Je compte sur vous lundi soir.

J'ai appelé mon cousin, ma sœur, mon oncle. Pas
575 de réponse. Pas même de sonnerie. Aucun des numéros ne fonctionnait.

Donc, aucun d'eux n'est plus là.

Dimanche.

Je ne sais pas quoi faire. J'ai passé la journée assis
580 à la fenêtre à observer la rue. Je guettais le moindre visage connu. Mais il n'y avait rien que des étrangers.

Je n'ose pas quitter la maison. Elle est tout ce qui me reste. Avec nos meubles et nos vêtements.

Je veux dire *mes* vêtements. Son placard à elle est
585 vide. Je l'ai ouvert ce matin à mon réveil et il n'y avait pas un mouchoir. C'est comme un tour de prestidigitation, un escamotage — comme...

J'ai simplement ri. Je dois être...

J'ai appelé le magasin de meubles. Il est ouvert le
590 dimanche après-midi. On m'a dit qu'il n'y avait aucune commande de lit à notre nom. Je pouvais venir vérifier si je voulais.

Je suis revenu à la fenêtre.

J'ai pensé à appeler ma tante de Detroit. Mais je
595 suis incapable de me rappeler le numéro. Et il n'est plus dans le répertoire. Le répertoire entier est vide. Il ne reste plus que mon nom en lettres d'or sur la couverture.

600 Mon nom. Rien que mon nom. Que dire ? Que faire ? Facile. *Rien* à faire.

J'ai feuilleté l'album de photos. Presque toutes les photos ont changé. Elles ne représentent plus personne.

Mary n'y est plus, ni nos parents, ni nos amis.

605 De quoi rire.

Sur la photo de mariage je suis assis, tout seul, à une immense table couverte de mets. Mon bras gauche est étendu et courbé pour enlacer une mariée fantôme. Et, tout autour de la table, il y a des **610** verres qui flottent dans le vide.

Qui me portent un toast.

Lundi matin.

On m'a retourné la lettre que j'avais envoyée à Jim. Avec sur l'enveloppe la mention INCONNU.

615 J'ai essayé de joindre le facteur, mais je n'ai pas pu. Il est passé avant mon réveil.

Je suis allé chez l'épicier. Il me connaissait. Mais quand je lui ai demandé s'il avait vu ma femme, il a ri en disant qu'il savait bien que je mourrais **620** célibataire.

Il ne me reste qu'une seule idée. C'est un risque à prendre. Il faut que je quitte la maison et que j'aille en ville à l'Association des Anciens Combattants. Je veux savoir si je figure dans les archives. Si **625** oui, il restera quelques renseignements sur mes études, mon mariage, mes relations.

J'emporte ce cahier avec moi. Je ne veux pas le perdre. Si je le perdais, il ne me resterait plus une chose au monde pour me rappeler que je ne suis **630** pas fou.

Lundi soir.

Je suis au *drugstore* du coin.

La maison n'est plus là.

635 En revenant de l'Association, je n'ai plus trouvé qu'un terrain vague. J'ai demandé aux enfants qui y jouaient s'ils me connaissaient. Ils ont dit non. J'ai demandé ce qui était arrivé à la maison. Ils m'ont répondu qu'ils jouaient dans ce terrain vague depuis toujours.

640 L'Association n'avait aucunes archives à mon sujet. Pas une ligne.

Ce qui signifie que je n'existe plus désormais en tant qu'individu. Tout ce que je possède, c'est ce que je suis — mon corps et les vêtements qui le recou-
645 vrent. Toutes mes pièces d'identité ont disparu de mon portefeuille.

Ma montre a disparu aussi. Sans que je m'en aperçoive. De mon poignet.

Elle portait au dos une inscription. Je me la rappelle.
650 *À mon chéri avec tout mon amour. Mary.*

Je suis en train de boire une tasse de café. 🖋

Richard MATHESON, *La dimension fantastique*, Treize nouvelles de E.T.A. Hoffmann à Claude Seignolle, Une anthologie présentée par Barbara Sadoul, traduit de l'américain par Alain Dorémieux, Paris, Librio, 1996.

Guy de Maupassant (1850-1893)

Des bijoux, des vêtements, des «parures»... Y a-t-il une limite à l'importance que l'on peut accorder à ces choses? Mathilde Loisel, épouse d'un simple commis, a appris la réponse à ses dépens...

Guy de Maupassant, écrivain français de la seconde moitié du XIXe siècle, dépeint l'hypocrisie de la société bourgeoise de son époque avec un réalisme étourdissant de précision. Il devient rapidement célèbre à la parution de sa nouvelle, *Boule de Suif*, en 1880. Auteur très prolifique, il publie six romans, dont *Une vie* (1883) et *Bel-Ami* (1885), et seize recueils de nouvelles, dont *Les contes de la bécasse* (1883) et *Le Horla* (1885). On l'a consacré «maître incontesté de la nouvelle», et son génie a influencé toute la littérature, tant en France que dans le reste du monde. Il est mort à 43 ans, hanté par la folie.

La parure

Elle était une de ces jolies et charmantes filles, née, comme par une erreur du destin, dans une famille d'employés. Elle n'avait pas de dot[1], pas d'espérances[2], aucun moyen d'être connue, comprise,
5 aimée, épousée par un homme riche et distingué; et elle se laissa marier avec un petit commis du ministère de l'Instruction publique.

[1] Biens qu'une femme apportait en se mariant. La dot était donnée par le père et dépendait donc du statut social de celui-ci.

[2] Biens qu'on attend d'un héritage.

Elle fut simple, ne pouvant être parée ; mais malheureuse comme une déclassée ; car les femmes
10 n'ont point de caste[3] ni de race, leur beauté, leur grâce et leur charme leur servant de naissance et de famille. Leur finesse native, leur instinct d'élégance, leur souplesse d'esprit sont leur seule hiérarchie, et font des filles du peuple les égales des plus grandes
15 dames.

Elle souffrait sans cesse, se sentant née pour toutes les délicatesses et tous les luxes. Elle souffrait de la pauvreté de son logement, de la misère des murs, de l'usure des sièges, de la laideur des étoffes. Toutes
20 ces choses, dont une autre femme de sa caste ne se serait même pas aperçue, la torturaient et l'indignaient. La vue de la petite Bretonne qui faisait son humble ménage éveillait en elle des regrets désolés et des rêves éperdus. Elle songeait aux antichambres[4]
25 muettes, capitonnées avec des tentures orientales, éclairées par de hautes torchères de bronze, et aux deux grands valets en culotte courte qui dorment dans les larges fauteuils, assoupis par la chaleur lourde du calorifère. Elle songeait aux grands salons
30 vêtus de soie ancienne, aux meubles fins portant des bibelots inestimables, et aux petits salons coquets, parfumés, faits pour la causerie de cinq heures avec les amis les plus intimes, les hommes connus et recherchés dont toutes les femmes envient et
35 désirent l'attention.

Quand elle s'asseyait, pour dîner, devant la table ronde couverte d'une nappe de trois jours, en face de son mari qui découvrait la soupière en déclarant d'un air enchanté : « Ah ! le bon pot-au-feu ! Je ne
40 sais rien de meilleur que cela… », elle songeait aux dîners fins, aux argenteries reluisantes, aux tapisseries peuplant les murailles de personnages anciens et d'oiseaux étranges au milieu d'une forêt de féerie ; elle songeait aux plats exquis servis en des vaisselles

[3] Classe sociale fermée. Au XIXe siècle, en général, les femmes étaient complètement dépendantes soit de leur père, soit de leur mari. C'est ce que veut dire Maupassant quand il dit que les femmes n'ont ni « caste ni race ».

[4] Pièces d'attente placées à l'entrée d'un grand appartement ou d'un salon de réception.

45 merveilleuses, aux galanteries chuchotées et écou-
tées avec un sourire de sphinx, tout en mangeant la
chair rose d'une truite ou des ailes de gélinotte.

Elle n'avait pas de toilettes, pas de bijoux, rien. Et
elle n'aimait que cela ; elle se sentait faite pour cela.
50 Elle eut tant désiré plaire, être enviée, être séduisante
et recherchée.

Elle avait une amie riche, une camarade de cou-
vent qu'elle ne voulait plus aller voir, tant elle souffrait en revenant. Et elle pleurait pendant des jours
55 entiers, de chagrin, de regret, de désespoir et de
détresse.

Or, un soir, son mari rentra, l'air glorieux et tenant
à la main une large enveloppe.

« Tiens, dit-il, voici quelque chose pour toi. »
60 Elle déchira vivement le papier et en tira une
carte imprimée qui portait ces mots :

« Le ministre de l'Instruction publique et
Mme Georges Ramponneau prient M. et Mme Loisel
de leur faire l'honneur de venir passer la soirée à
65 l'hôtel du ministère, le lundi 18 janvier. »

Au lieu d'être ravie, comme l'espérait son mari,
elle jeta avec dépit l'invitation sur la table, en
murmurant :

« Que veux-tu que je fasse de cela ? »
70 — Mais, ma chérie, je pensais que tu serais contente. Tu ne sors jamais, et c'est une occasion, cela,
une belle ! J'ai eu une peine infinie à l'obtenir. Tout
le monde en veut ; c'est très recherché et on n'en
donne pas beaucoup aux employés. Tu verras là tout
75 le monde officiel. »

Elle le regardait d'un œil irrité, et elle déclara avec
impatience :

« Que veux-tu que je me mette sur le dos pour
aller là ? »

80   Il n'y avait pas songé ; il balbutia :

«Mais la robe avec laquelle tu vas au théâtre. Elle me semble très bien, à moi…»

Il se tut, stupéfait, éperdu, en voyant que sa femme pleurait. Deux grosses larmes descendaient **85** lentement des coins des yeux vers les coins de la bouche ; il bégaya :

«Qu'as-tu ? qu'as-tu ?»

Mais, par un effort violent, elle avait dompté sa peine et elle répondit d'une voix calme, essuyant ses **90** joues humides :

«Rien. Seulement je n'ai pas de toilette et par conséquent je ne peux pas aller à cette fête. Donne ta carte à quelque collègue dont la femme sera mieux nippée[5] que moi. »

95   Il était désolé. Il reprit :

«Voyons, Mathilde. Combien cela coûterait-il, une toilette convenable, qui pourrait te servir encore en d'autres occasions, quelque chose de très simple ?»

Elle réfléchit quelques secondes, établissant ses **100** comptes et songeant aussi à la somme qu'elle pouvait demander sans s'attirer un refus immédiat et une exclamation effarée du commis économe.

Enfin, elle répondit en hésitant :

«Je ne sais pas au juste, mais il me semble qu'avec **105** quatre cents francs[6] je pourrais arriver. »

Il avait un peu pâli, car il réservait juste cette somme pour acheter un fusil et s'offrir des parties de chasse, l'été suivant, dans la plaine de Nanterre, avec quelques amis qui allaient tirer des alouettes, **110** par là, le dimanche.

Il dit cependant :

«Soit. Je te donne quatre cents francs. Mais tâche d'avoir une belle robe. »

[5] Habillée. (Langue familière.)

[6] Unité monétaire française.

Le jour de la fête approchait, et Mme Loisel sem-
115 blait triste, inquiète, anxieuse. Sa toilette était prête
cependant. Son mari lui dit un soir :

« Qu'as-tu ? Voyons, tu es toute drôle depuis trois
jours. »

Et elle répondit :

120 « Cela m'ennuie de n'avoir pas un bijou, pas une
pierre, rien à mettre sur moi. J'aurai l'air misère
comme tout. J'aimerais presque mieux ne pas aller
à cette soirée. »

Il reprit :

125 « Tu mettras des fleurs naturelles. C'est très chic
en cette saison-ci. Pour dix francs tu auras deux ou
trois roses magnifiques. »

Elle n'était pas convaincue.

« Non, il n'y a rien de plus humiliant que d'avoir
130 l'air pauvre au milieu de femmes riches. »

Mais son mari s'écria :

« Que tu es bête ! Va trouver ton amie Mme Forestier et demande-lui de te prêter des bijoux. Tu es
bien assez liée avec elle pour faire cela. »

135 Elle poussa un cri de joie.

« C'est vrai. Je n'y avais point pensé. »

Le lendemain, elle se rendit chez son amie et lui
conta sa détresse.

Mme Forestier alla vers son armoire à glace, prit un
140 large coffret, l'apporta, l'ouvrit, et dit à Mme Loisel :

« Choisis, ma chère. »

Elle vit d'abord des bracelets, puis un collier de
perles, puis une croix vénitienne, or et pierreries,
d'un admirable travail. Elle essayait les parures
145 devant la glace, hésitait, ne pouvait se décider à les
quitter, à les rendre. Elle demandait toujours :

« Tu n'as plus rien d'autre ? »

« — Mais si. Cherche. Je ne sais pas ce qui peut te plaire. »

150 Tout à coup, elle découvrit dans une boîte de satin noir, une superbe rivière de diamants[7]; et son cœur se mit à battre d'un désir immodéré. Ses mains tremblaient en la prenant. Elle l'attacha autour de sa gorge, sur sa robe montante, et demeura en extase
155 devant elle-même.

Puis elle demanda, hésitante, pleine d'angoisse :

« Peux-tu me prêter cela, rien que cela ?

— Mais oui, certainement. »

Elle sauta au cou de son amie, l'embrassa avec
160 emportement, puis s'enfuit avec son trésor.

Le jour de la fête arriva. Mme Loisel eut un succès. Elle était plus jolie que toutes, élégante, gracieuse, souriante et folle de joie. Tous les hommes la regardaient, demandaient son nom, cherchaient
165 à être présentés. Tous les attachés du cabinet voulaient valser avec elle. Le ministre la remarqua.

Elle dansait avec ivresse, avec emportement, grisée par le plaisir, ne pensant plus à rien, dans le triomphe de sa beauté, dans la gloire de son succès, dans
170 une sorte de nuage de bonheur fait de tous ces hommages, de toutes ces admirations, de tous ces désirs éveillés, de cette victoire si complète et si douce au cœur des femmes.

Elle partit vers quatre heures du matin. Son mari,
175 depuis minuit, dormait dans un petit salon désert avec trois autres messieurs dont les femmes s'amusaient beaucoup.

Il lui jeta sur les épaules les vêtements qu'il avait apportés pour la sortie, modestes vêtements de la vie
180 ordinaire, dont la pauvreté jurait avec l'élégance de la toilette de bal. Elle le sentit et voulut s'enfuir pour ne pas être remarquée par les autres femmes qui s'enveloppaient de riches fourrures.

7 Collier de diamants.

Loisel la retenait :

185 « Attends donc. Tu vas attraper froid dehors. Je vais appeler un fiacre. »

Mais elle ne l'écoutait point et descendait rapidement l'escalier. Lorsqu'ils furent dans la rue, ils ne trouvèrent pas de voiture ; et ils se mirent à chercher,
190 criant après les cochers qu'ils voyaient passer de loin.

Ils descendaient vers la Seine, désespérés, grelottants. Enfin ils trouvèrent sur le quai un de ces vieux coupés noctambules qu'on ne voit dans Paris que la
195 nuit venue, comme s'ils eussent été honteux de leur misère pendant le jour.

Il les ramena jusqu'à leur porte, rue des Martyrs, et ils remontèrent tristement chez eux. C'était fini, pour elle. Et il songeait, lui, qu'il lui faudrait être au
200 Ministère à dix heures.

Elle ôta les vêtements dont elle s'était enveloppé les épaules, devant la glace, afin de se voir encore une fois dans sa gloire. Mais soudain elle poussa un cri. Elle n'avait plus de rivière autour du cou.

205 Son mari, à moitié dévêtu déjà, demanda :

« Qu'est-ce que tu as ? »

Elle se tourna vers lui, affolée :

« J'ai… j'ai… je n'ai plus la rivière de Mme Forestier. »

210 Il se dressa éperdu.

« Quoi !… Comment !… Ce n'est pas possible ! »

Et ils cherchèrent dans les plis de la robe, dans les plis du matelas, dans les poches, partout. Ils ne la trouvèrent point.

215 Il demandait :

« Tu es sûre que tu l'avais encore en quittant le bal ?

— Oui, je l'ai touchée dans le vestibule du Ministère.

220 — Mais si tu l'avais perdue dans la rue, nous l'aurions entendue tomber. Elle doit être dans le fiacre.

— Oui. C'est probable. As-tu pris le numéro?

— Non. Et toi, tu ne l'as pas regardé?

— Non.»

225 Ils se contemplaient atterrés. Enfin Loisel se rhabilla.

«Je vais, dit-il, refaire tout le trajet que nous avons fait à pied, pour voir si je ne la retrouve pas.»

Et il sortit. Elle demeura en toilette de soirée, sans
230 force pour se coucher, abattue sur une chaise, sans feu, sans pensée.

Son mari rentra vers sept heures. Il n'avait rien trouvé. Il se rendit à la Préfecture de police, aux journaux, pour faire promettre une récompense, aux
235 compagnies de petites voitures, partout enfin où un soupçon d'espoir les poussait.

Elle attendit tout le jour, dans le même état d'effarement devant cet affreux désastre.

Loisel revint le soir, avec la figure creuse, pâlie; il
240 n'avait rien découvert.

«Il faut, dit-il, écrire à ton amie que tu as brisé la fermeture de sa rivière et que tu la fais réparer. Cela nous donnera le temps de nous retourner.»

Elle écrivit sous sa dictée.

245 Au bout d'une semaine, ils avaient perdu toute espérance.

Et Loisel, vieilli de cinq ans, déclara:

«Il faut aviser à remplacer ce bijou.»

Ils prirent, le lendemain, la boîte qui l'avait renfermé,
250 et se rendirent chez le joaillier dont le nom se trouvait dedans. Il consulta ses livres:

«Ce n'est pas moi, madame, qui ai vendu cette rivière ; j'ai dû seulement fournir l'écrin. »

Alors, ils allèrent de bijoutier en bijoutier, cher-
255 chant une parure pareille à l'autre, consultant leurs souvenirs, malades tous deux de chagrin et d'angoisse.

Ils trouvèrent, dans une boutique du Palais-Royal, un chapelet de diamants qui leur parut entièrement
260 semblable à celui qu'ils cherchaient. Il valait quarante mille francs. On le leur laisserait à trente-six mille.

Ils prièrent donc le joaillier de ne pas le vendre avant trois jours. Et ils firent condition qu'on le reprendrait pour trente-quatre mille francs si le
265 premier était retrouvé avant la fin de février.

Loisel possédait dix-huit mille francs que lui avait laissés son père. Il emprunterait le reste.

Il emprunta, demandant mille francs à l'un, cinq cents à l'autre, cinq louis[8] par-ci, trois louis par-là. Il
270 fit des billets[9], prit des engagements ruineux, eut affaire aux usuriers, à toutes les races de prêteurs. Il compromit toute la fin de son existence, risqua sa signature sans savoir même s'il pourrait y faire honneur, et, épouvanté par les angoisses de l'avenir, par
275 la noire misère qui allait s'abattre sur lui, par la perspective de toutes les privations physiques et de toutes les tortures morales, il alla chercher la rivière nouvelle en déposant sur le comptoir du marchand trente-six mille francs.

280 Quand Mme Loisel reporta la parure à Mme Forestier, celle-ci lui dit, d'un air froissé :

« Tu aurais dû me la rendre plus tôt, car je pouvais en avoir besoin. »

Elle n'ouvrit pas l'écrin, ce que redoutait son amie.
285 Si elle s'était aperçue de la substitution qu'aurait-elle pensé ? qu'aurait-elle dit ? Ne l'aurait-elle pas prise pour une voleuse ?

[8] Pièces d'or.
[9] Reconnaissances de dettes.

Mme Loisel connut la vie horrible des nécessiteux.
Elle prit son parti d'ailleurs tout d'un coup,
290 héroïquement. Il fallait payer cette dette effroyable.
Elle paierait. On renvoya la bonne ; on changea de
logement ; on loua sous les toits d'une mansarde.

Elle connut les gros travaux du ménage, les odieu-
ses besognes de la cuisine. Elle lava la vaisselle, usant
295 ses ongles roses sur les poteries grasses et le fond des
casseroles. Elle savonna le linge sale, les chemises et
les torchons, qu'elle faisait sécher sur une corde ; elle
descendit à la rue, chaque matin, les ordures, et
monta l'eau, s'arrêtant à chaque étage pour souffler.
300 Et vêtue comme une femme du peuple, elle alla
chez le fruitier, chez l'épicier, chez le boucher, le pa-
nier au bras, marchandant, injuriée, défendant sou
à sou son misérable argent.

Il fallait chaque mois payer des billets, en renou-
305 veler d'autres, obtenir du temps.

Le mari travaillait, le soir à mettre au net les
comptes d'un commerçant et la nuit, souvent, il
faisait de la copie à cinq sous la page.

Et cette vie dura dix ans.

310 Au bout de dix ans, ils avaient tout restitué, tout,
avec le taux de l'usure et l'accumulation des intérêts
superposés.

Mme Loisel semblait vieille maintenant. Elle était
devenue la femme forte, et dure, et rude, des ména-
315 ges pauvres. Mal peignée, avec les jupes de travers
et les mains rouges, elle parlait haut, lavait à grande
eau les planchers. Mais parfois, lorsque son mari
était au bureau elle s'asseyait auprès de la fenêtre,
et elle songeait à cette soirée d'autrefois, à ce bal où
320 elle avait été si belle et si fêtée.

Que serait-il arrivé si elle n'avait point perdu
cette parure ? Qui sait ? Qui sait ? Comme la vie est

singulière, changeante ! Comme il faut peu de choses pour vous perdre ou vous sauver !

325 Or, un dimanche, comme elle était allée faire un tour aux Champs-Élysées pour se délasser des besognes de la semaine, elle aperçut tout à coup une femme qui promenait un enfant. C'était Mme Forestier, toujours jeune, toujours belle, toujours sédui-
330 sante.

Mme Loisel se sentit émue. Allait-elle lui parler ? Oui, certes. Et maintenant qu'elle avait payé, elle lui dirait tout. Pourquoi pas ?

Elle s'approcha.

335 « Bonjour, Jeanne. »

L'autre ne la reconnaissait point, s'étonnant d'être appelée aussi familièrement par cette bourgeoise. Elle balbutia :

« Mais… madame ! Je ne sais… Vous devez vous
340 tromper.

— Non. Je suis Mathilde Loisel. »

Son amie poussa un cri :

« Oh !… ma pauvre Mathilde, comme tu es changée !…

345 — Oui, j'ai eu des jours bien durs, depuis que je ne t'ai vue ; et bien des misères… et cela à cause de toi !…

— De moi… Comment ça ?

— Tu te rappelles bien cette rivière de diamants
350 que tu m'as prêtée pour aller à la fête du Ministère ?

— Oui. Eh bien ?

— Eh bien, je l'ai perdue.

— Comment ! Puisque tu me l'as rapportée.

— Je t'en ai rapporté une autre toute pareille. Et
355 voilà dix ans que nous la payons. Tu comprends que ça n'était pas aisé pour nous, qui n'avions rien…

Enfin, c'est fini, et je suis rudement contente.»

Mme Forestier s'était arrêtée.

«Tu dis que tu as acheté une rivière de diamants
360 pour remplacer la mienne?

— Oui, tu ne t'en étais pas aperçue, hein? Elles
étaient bien pareilles.»

Et elle souriait d'une joie orgueilleuse et naïve.

Mme Forestier, fort émue, lui prit les deux mains.

365 «Oh! Ma pauvre Mathilde! Mais la mienne était
fausse. Elle valait au plus cinq cents francs…»

Guy de MAUPASSANT, *Contes du jour et de la nuit*, Paris, 1885.

Edgar Allan Poe (1809-1849)

Comment un cœur peut-il être « révélateur » ? Et que peut-il bien révéler ? Dans cette nouvelle, Edgar Allan Poe nous entraîne dans la folie d'un homme qui possède une exceptionnelle acuité des sens. Cette faculté le mènera d'ailleurs à sa perte…

Cet écrivain américain écrit ses premiers poèmes à 16 ans. Puis ses *Contes,* publiés dans de nombreux journaux aux États-Unis, le rendent rapidement célèbre. Sa renommée s'étend en France et en Europe quand le poète Charles Baudelaire traduit ses *Histoires extraordinaires*. Après la mort de sa femme, en 1847, il écrit des textes de plus en plus sombres, de plus en plus cruels. Edgar Allan Poe meurt mystérieusement à 40 ans : c'est dans un ruisseau de Baltimore qu'on trouve son corps.

L'influence et le rayonnement de Poe sur la littérature sont tels qu'on peut le considérer comme un auteur classique. Écrivain reconnu universellement, il a profondément marqué la littérature fantastique et policière du XIX\e siècle. *Histoires extraordinaires* (1840) et *Nouvelles histoires extraordinaires* (1845) figurent parmi ses ouvrages les plus connus.

Le cœur révélateur

Vrai! — je suis très-nerveux, épouvantablement nerveux, — je l'ai toujours été; mais pourquoi prétendez-vous que je suis fou? La maladie a aiguisé mes sens, — elle ne les a pas détruits, — elle ne les a pas émoussés. Plus que tous les autres, j'avais le sens de l'ouïe très-fin. J'ai entendu toutes choses du ciel et de la terre. J'ai entendu bien des choses de l'enfer. Comment donc suis-je fou? Attention! Et observez avec quelle santé, — avec quel calme je puis vous raconter toute l'histoire.

Il est impossible de dire comment l'idée entra primitivement dans ma cervelle; mais, une fois conçue, elle me hanta nuit et jour. D'objet, il n'y en avait pas. La passion n'y était pour rien. J'aimais le vieux bonhomme. Il ne m'avait jamais fait de mal. Il ne m'avait jamais insulté. De son or je n'avais aucune envie. Je crois que c'était son œil! Oui, c'était cela! Un de ses yeux ressemblait à celui d'un vautour, — un œil bleu pâle, avec une taie dessus. Chaque fois que cet œil tombait sur moi, mon sang se glaçait; et ainsi, lentement — par degrés — je me mis en tête d'arracher la vie du vieillard, et par ce moyen de me délivrer de l'œil à tout jamais.

Maintenant, voici le hic! Vous me croyez fou. Les fous ne savent rien de rien. Mais si vous m'aviez vu! Si vous aviez vu avec quelle sagesse je procédai! — avec quelle précaution, — avec quelle prévoyance, — avec quelle dissimulation je me mis à l'œuvre!

Je ne fus jamais plus aimable pour le vieux que
30 pendant la semaine entière qui précéda le meurtre.
Et, chaque nuit, vers minuit, je tournais le loquet de
sa porte, et je l'ouvrais, — Oh! si doucement! Et
alors, quand je l'avais suffisamment entre-bâillée
pour ma tête, j'introduisais une lanterne sourde,
35 bien fermée, bien fermée, ne laissant filtrer aucune
lumière; puis je passais la tête. Oh! vous auriez ri
de voir avec quelle adresse je passais ma tête! Je la
mouvais lentement, — très, très-lentement, — de
manière à ne pas troubler le sommeil du vieillard.
40 Il me fallait bien une heure pour introduire toute ma
tête à travers l'ouverture, assez avant pour le voir
couché sur son lit. Ah! un fou aurait-il été aussi
prudent? — Et alors, quand ma tête était bien dans
la chambre, j'ouvrais la lanterne avec précaution,
45 — oh! avec quelle précaution, avec quelle précaution! — car la charnière criait. — Je l'ouvrais juste
pour qu'un filet imperceptible de lumière tombât
sur l'œil de vautour. Et cela, je l'ai fait pendant
sept longues nuits, — chaque nuit juste à minuit;
50 — mais je trouvai toujours l'œil fermé; — et ainsi
il me fut impossible d'accomplir l'œuvre; car ce
n'était pas le vieil homme qui me vexait, mais son
mauvais œil. Et, chaque matin, quand le jour paraissait, j'entrais hardiment dans sa chambre, je lui par-
55 lais courageusement, l'appelant par son nom d'un
ton cordial et m'informant comment il avait passé
la nuit. Ainsi, vous voyez qu'il eût été un vieillard
bien profond, en vérité, s'il avait soupçonné que,
chaque nuit, à minuit juste, je l'examinais pendant
60 son sommeil.

La huitième nuit, je mis encore plus de précaution
à ouvrir la porte. La petite aiguille d'une montre se
meut plus vite que ne faisait ma main. Jamais, avant
cette nuit, je n'avais senti toute l'étendue de mes fa-
65 cultés, — de ma sagacité. Je pouvais à peine contenir

mes sensations de triomphe. Penser que j'étais là, ouvrant la porte, petit à petit, et qu'il ne rêvait même pas de mes actions ou de mes pensées secrètes ! À cette idée, je lâchai un petit rire ; et
70 peut-être m'entendit-il ; car il remua soudainement sur son lit, comme s'il se réveillait. Maintenant, vous croyez peut-être que je me retirai, — mais non. Sa chambre était aussi noire que de la poix, tant les ténèbres étaient épaisses, — car les volets étaient
75 soigneusement fermés, de crainte des voleurs, — et, sachant qu'il ne pouvait pas voir l'entrebâillement de la porte, je continuai à la pousser davantage, toujours davantage.

J'avais passé ma tête, et j'étais au moment d'ou-
80 vrir la lanterne, quand mon pouce glissa sur la fermeture de fer-blanc, et le vieux homme se dressa sur son lit, criant :

— Qui est là ?

Je restai complètement immobile et ne dis rien.
85 Pendant une heure entière, je ne remuai pas un muscle et pendant tout ce temps je ne l'entendis pas se recoucher. Il était toujours sur son séant, aux écoutes ; — juste comme j'avais fait pendant des nuits entières, écoutant les horloges-de-mort dans
90 le mur.

Mais voilà que j'entendis un faible gémissement, et je reconnus que c'était le gémissement d'une terreur mortelle. Ce n'était pas un gémissement de douleur ou de chagrin ; — oh ! non, — c'était le
95 bruit sourd et étouffé qui s'élève du fond d'une âme surchargée d'effroi. Je connaissais bien ce bruit. Bien des nuits, à minuit juste, pendant que le monde entier dormait, il avait jailli de mon propre sein, creusant avec son terrible écho les terreurs qui me
100 travaillaient. Je dis que je le connaissais bien. Je savais ce qu'éprouvait le vieil homme, et j'avais pitié

de lui, quoique j'eusse le rire dans le cœur. Je savais qu'il était resté éveillé, depuis le premier petit bruit, quand il s'était retourné dans son lit. Ses craintes
105 avaient toujours été grossissant. Il avait tâché de se persuader qu'elles étaient sans cause, mais il n'avait pas pu. Il s'était dit à lui-même : — Ce n'est rien, que le vent dans la cheminée ; — ce n'est qu'une souris qui traverse le parquet ; — ou : c'est simplement un
110 grillon qui a poussé son cri. Oui, il s'est efforcé de se fortifier avec ces hypothèses ; mais tout cela a été vain. *Tout a été vain*, parce que la Mort qui s'approchait avait passé devant lui avec sa grande ombre noire, et qu'elle avait ainsi enveloppé sa victime. Et
115 c'était l'influence funèbre de l'ombre inaperçue qui lui faisait sentir, — quoiqu'il ne vît et n'entendît rien, — qui lui faisait *sentir* la présence de ma tête dans la chambre.

Quand j'eus attendu un long temps très-patiem-
120 ment, sans l'entendre se recoucher, je me résolus à entr'ouvrir un peu la lanterne, mais si peu, si peu que rien. Je l'ouvris donc, — si furtivement, si furtivement que vous ne sauriez l'imaginer, — jusqu'à ce qu'enfin un seul rayon pâle, comme un fil d'araignée,
125 s'élançât de la fente et s'abattît sur l'œil de vautour.

Il était ouvert, — tout grand ouvert, et j'entrai en fureur aussitôt que je l'eus regardé. Je le vis avec une parfaite netteté, — tout entier d'un bleu terne et recouvert d'un voile hideux qui glaçait la moelle
130 dans mes os ; mais je ne pouvais voir que cela de la face ou de la personne du vieillard ; car j'avais dirigé le rayon, comme par instinct, précisément sur la place maudite.

Et maintenant, ne vous ai-je pas dit que ce que
135 vous preniez pour de la folie n'est qu'une hyper-acuité[1] des sens ? — Maintenant, je vous le dis, un bruit sourd, étouffé, fréquent vint à mes oreilles,

[1] Très grande perception des sens.

semblable à celui que fait une montre enveloppée dans du coton. *Ce son-là*, je le reconnus bien aussi.

140 C'était le battement du cœur du vieux. Il accrut ma fureur, comme le battement du tambour exaspère le courage du soldat.

Mais je me contins encore, et je restai sans bouger. Je respirais à peine. Je tenais la lanterne immobile.

145 Je m'appliquais à maintenir le rayon droit sur l'œil. En même temps, la charge infernale du cœur battait plus fort ; elle devenait de plus en plus précipitée, et à chaque instant de plus en plus haute. La terreur du vieillard *devait* être extrême ! Ce batte-

150 ment, dis-je, devenait de plus en plus fort à chaque minute ! — Me suivez-vous bien ? Je vous ai dit que j'étais nerveux ; je le suis en effet. Et maintenant, au plein cœur de la nuit, parmi le silence redoutable de cette vieille maison, un si étrange bruit jeta en moi

155 une terreur irrésistible. Pendant quelques minutes encore je me contins et restai calme. Mais le battement devenait toujours plus fort, toujours plus fort ! Je croyais que le cœur allait crever. Et voilà qu'une nouvelle angoisse s'empara de moi : — le bruit pou-

160 vait être entendu par un voisin ! L'heure du vieillard était venue ! Avec un grand hurlement, j'ouvris brusquement la lanterne et m'élançai dans la chambre. Il ne poussa qu'un cri, — un seul. En un instant, je le précipitai sur le parquet, et je renversai sur lui

165 tout le poids écrasant du lit. Alors je souris avec bonheur, voyant ma besogne fort avancée. Mais, pendant quelques minutes, le cœur battit avec un son voilé. Cela toutefois ne me tourmenta pas ; on ne pouvait l'entendre à travers le mur. À la longue, il cessa. Le

170 vieux était mort. Je relevai le lit, et j'examinai le corps. Oui, il était roide[2], roide mort. Je plaçai ma main sur le cœur, et l'y maintins plusieurs minutes. Aucune pulsation. Il était roide mort. Son œil désormais ne me tourmenterait plus.

[2] Raide. (Ancien français.)

175 Si vous persistez à me croire fou, cette croyance s'évanouira quand je vous décrirai les sages précautions que j'employai pour dissimuler le cadavre. La nuit avançait, et je travaillai vivement, mais en silence. Je coupai la tête, puis les bras, puis les **180** jambes.

Puis j'arrachai trois planches du parquet de la chambre, et je déposai le tout entre les voliges³. Puis je replaçai les feuilles si habilement, si adroitement, qu'aucun œil humain — pas même *le sien !* **185** — n'aurait pu y découvrir quelque chose de louche. Il n'y avait rien à laver, — pas une souillure, — pas une tache de sang. J'avais été trop bien avisé pour cela. Un baquet avait tout absorbé, — ha ! ha !

Quand j'eus fini tous ces travaux, il était quatre **190** heures, — il faisait toujours aussi noir qu'à minuit. Pendant que le timbre sonnait l'heure, on frappa à la porte de la rue. Je descendis pour ouvrir, avec un cœur léger, — car qu'avais-je à craindre *maintenant ?* Trois hommes entrèrent qui se présentèrent, avec **195** une parfaite suavité, comme officiers de police. Un cri avait été entendu par un voisin pendant la nuit ; cela avait éveillé le soupçon de quelque mauvais coup : une dénonciation avait été transmise au bureau de police, et ces messieurs (les officiers) **200** avaient été envoyés pour visiter les lieux.

Je souris, — car qu'avais-je à craindre ? Je souhaitai la bienvenue à ces gentlemen. — Le cri, dis-je, c'était moi qui l'avais poussé dans un rêve. Le vieux bonhomme, ajoutai-je, était en voyage dans le pays. Je **205** promenai mes visiteurs par toute la maison. Je les invitai à chercher, à *bien* chercher. À la fin, je les conduisis dans *sa* chambre. Je leur montrai ses trésors, en parfaite sûreté, parfaitement en ordre. Dans l'enthousiasme de ma confiance, j'apportai des sièges **210** dans la chambre, et les priai de s'y reposer de leur

³ Planches minces utilisées dans la construction.

fatigue, tandis que moi-même, avec la folle audace d'un triomphe parfait, j'installai ma propre chaise sur l'endroit même qui recouvrait le corps de la victime.

215   Les officiers étaient satisfaits. Mes manières les avaient convaincus. Je me sentais singulièrement à l'aise. Ils s'assirent et ils causèrent de choses familières auxquelles je répondis gaiement. Mais, au bout de peu de temps, je sentis que je devenais pâle,
220 et je souhaitai leur départ. Ma tête me faisait mal, et il me semblait que les oreilles me tintaient ; mais ils restaient toujours assis, et toujours ils causaient. Le tintement devint plus distinct ; — il persista et devint encore plus distinct : je bavardai plus abon-
225 damment pour me débarrasser de cette sensation ; mais elle tint bon et prit un caractère tout à fait décidé, — tant qu'à la fin je découvris que le bruit n'était pas dans mes oreilles.

    Sans doute je devins alors très-pâle ; — mais je
230 bavardais encore plus couramment et en haussant la voix. Le son augmentait toujours, — et que pouvais-je faire ? C'était *un bruit sourd, étouffé, fréquent, ressemblant beaucoup à celui que ferait une montre enveloppée dans du coton.* Je respirai laborieu-
235 sement. — Les officiers n'entendaient pas encore. Je causai plus vite, — avec plus de véhémence ; mais le bruit croissait incessamment. — Je me levai, et je disputai sur des niaiseries, dans un diapason très-élevé et avec une violente gesticulation ; mais
240 le bruit montait, montait toujours. — Pourquoi ne *voulaient-ils pas* s'en aller ? — J'arpentai çà et là le plancher lourdement et à grands pas, comme exaspéré par les observations de mes contradicteurs ; — mais le bruit croissait régulièrement. Ô Dieu ! que pouvais-
245 je faire ? J'écumais, — je battais la campagne, — je jurais ! j'agitais la chaise sur laquelle j'étais assis, et

je la faisais crier sur le parquet ; mais le bruit domi-
nait toujours, et croissait indéfiniment. Il devenait
plus fort, — plus fort ! — toujours plus fort ! Et tou-
250 jours les hommes causaient, plaisantaient et sou-
riaient. Était-il possible qu'ils n'entendissent pas ?
Dieu tout-puissant ! — Non, non ! Ils entendaient !
— ils soupçonnaient ! — ils *savaient*, — ils se faisaient un amusement de mon effroi ! — je le crus,
255 et je le crois encore. Mais n'importe quoi était plus
tolérable que cette dérision ! Je ne pouvais pas supporter plus longtemps ces hypocrites sourires !
Je sentis qu'il fallait crier ou mourir ! — et maintenant encore, l'entendez-vous ? — écoutez ! plus
260 haut ! — plus haut ! — toujours plus haut ! — *toujours plus haut !*

— Misérables ! — m'écriai-je, — ne dissimulez
pas plus longtemps ! J'avoue la chose ! — arrachez
ces planches ! c'est là, c'est là ! — c'est le battement
265 de son affreux cœur !

Edgar Allan POE, 1843. Récit traduit de l'anglais
par Charles Baudelaire en 1853.

Stefan Psenak *(1969-)*

Il y a maintenant un an que, cinq jours par semaine, il se rend à pied au bureau de poste de son quartier, après être passé par le dépanneur. Qui donc est le mystérieux correspondant qui le maintient en vie ?

Stefan Psenak, un auteur québécois, ne donne la clé de l'énigme qu'à la toute dernière phrase de son récit. Cette nouvelle, qui prend la forme d'une lettre, nous entraîne dans l'univers maniaque et étroit d'un homme solitaire.

Stefan Psenak est poète, romancier et dramaturge. Son recueil de nouvelles *Du chaos à l'ordre des choses* a obtenu le prix Trillium en 1999.

Trois chiffres et un nom de rue

Tout a commencé il y a un an. Un an aujourd'hui. Jour pour jour. Pourtant, je ne me sens pas la force de fêter. Le genre d'anniversaire qui m'emplit de nostalgie… Un an donc, que tous les matins, après mon premier café, je me rends à pied au bureau de poste. Comme je te l'ai maintes et maintes fois expliqué dans mes lettres, tout ce qui me restait, à l'époque, c'était mon adresse. Trois chiffres et un nom de rue. Même pas un nom de

5

10 saint. Et je ne te parle pas du code postal, que non! Quand j'ai appris que nous étions plusieurs à le partager, tu t'imagines le choc? Trois chiffres et un nom de rue. C'était peu, mais c'était mieux que rien. Tant qu'on a ça, on ne peut être pauvre. Et puis,
15 il y a le maître de poste, fidèle au rendez-vous, toujours là, cinq jours par semaine, depuis un an. Un homme dévoué, le maître de poste. Toujours souriant, empressé de me remettre mon courrier: «Encore un paquet de lettres pour vous aujour-
20 d'hui.» Il ne m'a jamais posé de questions, ne sait ni vraiment qui je suis ni ce que je fais dans la vie. C'est mieux ainsi: il risquerait d'être déçu.

Il y a l'homme du dépanneur, aussi. Chaque jour, avant et après ma marche en direction du bureau de
25 poste, je fais un petit arrêt chez lui. Avant, pour mettre ma correspondance dans la boîte aux lettres située à l'extérieur de son commerce (puisque, comme tu le sais déjà, je ne fais pas que recevoir des lettres: j'en écris, aussi). Et après, pour m'acheter des
30 cigarettes. Chaque chose en son temps, chaque chose à sa place. Mais assez parlé de moi, de toute façon, tu connais mes moindres allées et venues.

J'ai bien reçu ta dernière missive: elle était dans mon courrier de ce matin. Comme d'habitude, j'ai
35 fouillé rapidement dans le paquet de lettres pour en tirer la tienne. Comme d'habitude, mon cœur s'est arrêté de battre pendant quelques secondes. As-tu remarqué que, depuis un an, nous nous sommes écrit tous les jours? Sauf les fins de semaine et les
40 jours fériés, bien entendu. Saleté de fins de semaine. Saleté de jours fériés. Je t'en remercie; tu me fais du bien. S'il fallait que je ne trouve rien provenant de toi parmi mes comptes, je ne sais pas ce que je ferais. Quelquefois, lorsque je me couche, j'angoisse
45 et je me lance dans d'absurdes hypothèses: «Et s'il avait mis sa lettre à la poste après la levée du

courrier ? Et si sa lettre était restée par mégarde au
fond de la boîte ? » Puis je me rassure et m'endors.
Le matin, sitôt les yeux ouverts, je me sens confiant,
50 comme si je savais que tu ne m'oublierais pas. « C'est
impossible : il ne t'oubliera pas. » Alors seulement
je m'étire, ouvre le store, et la hâte m'envahit. Je
bois un café. Un seul. Comme nous les aimons.
Parce qu'ensuite je dois m'habiller pour ne pas être
55 en retard. À neuf heures vingt-cinq, je sors de chez
moi. Le bureau de poste est à cinq coins de rue. Le
dépanneur se trouve sur mon chemin. À neuf heures
trente, le maître de poste ouvre la porte et me laisse
entrer. Puis je refais le court trajet en sens inverse.
60 Nouvel arrêt au dépanneur. Cigarettes, bonjour,
bonjour. Et je rentre. Pour prendre un deuxième
café et lire ta lettre. Mon pain quotidien.

Un an déjà. Pas le goût de fêter. Trois chiffres et
un nom de rue.

65 Je te laisse. Je dois poster cette lettre. Sinon, je ne
pourrai pas la lire demain.

Stefan PSENAK, *Exister*, Ottawa, Éditions Le Nordir, 2001.

Horacio
Quiroga *(1878-1937)*

Quelle langueur atteint cette jeune épouse ? Quel mal mystérieux la ronge ? Elle s'étiole irrémédiablement sur son oreiller de plumes, sans explication ni remède…

Horacio Quiroga, né en Uruguay, à la fin du XIXᵉ siècle, excelle à semer des pistes, puis à les brouiller. Son écriture âpre et nue provoque l'inquiétude devant des événements surnaturels pourtant inextricablement liés au monde rationnel. Avec *Contes d'amour, de folie et de mort* (1917), dont est extrait « L'oreiller de plumes », Quiroga s'inscrit comme un précurseur de la littérature latino-américaine, qui atteindra l'universel au XXᵉ siècle.

L'oreiller
de plumes

S a lune de miel fut un long frisson. Blonde, angélique et timide, le caractère dur de son mari glaça ses rêves enfantins de jeune mariée. Elle l'aimait beaucoup et, pourtant, c'est avec un léger frémisse-
5 ment que parfois dans la rue, quand ils rentraient ensemble le soir, elle lançait un regard furtif vers la

haute stature de Jordan, muet depuis une heure.
Quant à lui, il l'aimait profondément, sans le laisser
paraître.

10   Durant trois mois — ils s'étaient mariés en avril —
ils vécurent un bonheur singulier.

Sans doute eût-elle souhaité moins de sévérité
dans cet austère ciel d'amour, une tendresse plus
expansive et plus ingénue. Mais le visage impassible
15   de son mari la retenait toujours.

La maison dans laquelle ils vivaient n'était pas la
moindre cause de ses frémissements. La blancheur
de la cour silencieuse — frises, colonnes et statues
de marbre — produisait une automnale impression
20   de palais enchanté. Dedans, l'éclat glacial du stuc,
sans la moindre égratignure sur les hauts murs, accen-
tuait cette sensation de froid inquiétant. Quand on
passait d'une pièce à l'autre, la maison entière faisait écho aux pas, comme si un abandon prolongé
25   l'avait rendue plus sonore.

Dans cet étrange nid d'amour Alicia passa tout
l'automne. Elle s'était malgré tout résignée à jeter
un voile sur ses rêves anciens et vivait endormie
dans la maison hostile, sans vouloir penser à rien
30   jusqu'à l'arrivée de son mari.

Rien d'étonnant à ce qu'elle maigrît. Elle fut
atteinte d'une légère grippe qui traîna insidieuse-
ment pendant des jours et des jours ; Alicia ne s'en
remettait pas. Enfin, un après-midi, elle put sortir
35   dans le jardin au bras de son mari. Elle regardait de
part et d'autre, indifférente. Soudain Jordan, avec
une profonde tendresse, lui passa très lentement la
main dans les cheveux, et Alicia fondit alors en sanglots, lui jetant les bras autour du cou. Elle pleura
40   longuement toute son épouvante contenue, et ses
pleurs redoublaient à la moindre tentative de
caresse. Puis les sanglots allèrent s'espaçant, mais elle

resta encore longtemps blottie dans le cou de Jordan, sans bouger ni dire un mot.

45   Ce fut là le dernier jour qu'Alicia put se lever. Le lendemain au réveil elle était évanouie. Le médecin de Jordan l'examina avec une extrême attention et lui imposa le lit et un repos absolu.

— Je ne sais pas, dit-il à Jordan sur le pas de la 50 porte de la rue et toujours à voix basse. Elle souffre d'une très grande faiblesse que je ne m'explique pas. Et sans vomissements, sans rien… Si demain elle se réveille comme aujourd'hui appelez-moi immédiatement.

55   Le jour suivant Alicia allait encore plus mal. On consulta. On constata une anémie à évolution suraiguë, parfaitement inexplicable. Alicia ne perdit plus connaissance, mais elle allait visiblement à la mort. La chambre à coucher restait tout le jour 60 entièrement éclairée, dans un silence complet. Les heures se passaient sans que l'on entendît le moindre bruit. Alicia somnolait. Jordan vivait dans le salon dont toutes les lampes étaient également allumées. Il marchait sans arrêt de long en large 65 avec une infatigable obstination. Le tapis étouffait ses pas. Par moments il entrait dans la chambre et poursuivait son va-et-vient muet le long du lit, s'arrêtant un instant à chaque extrémité pour regarder sa femme.

70   Bientôt Alicia commença à avoir des hallucinations, confuses et flottantes au début, et qui descendirent ensuite au ras du sol.

La jeune femme, les yeux démesurément ouverts, ne cessait plus de regarder le tapis de chaque côté 75 du chevet du lit. Une nuit, elle s'immobilisa subitement, le regard fixe. Un instant après elle ouvrit la bouche pour hurler, et ses narines et ses lèvres se perlèrent de sueur.

— Jordan ! Jordan ! cria-t-elle raide d'épouvante,
80 sans cesser de regarder le tapis.

Jordan courut à la chambre. En le voyant paraître
Alicia lança un cri d'horreur.

— C'est moi, Alicia, c'est moi !

Alicia égarée le regarda, regarda le tapis, le regar-
85 da de nouveau et, après cette longue et stupéfaite
confrontation, se rasséréna. Elle sourit et prit entre
les siennes la main de son mari qu'elle caressa toute
une demi-heure, en tremblant.

Parmi ses hallucinations les plus acharnées, elle vit
90 un anthropoïde qui, appuyé de ses doigts sur le
tapis, gardait ses yeux fixés sur elle.

Les médecins revinrent inutilement. Il y avait là,
devant eux, une vie qui s'achevait, dont le sang
fuyait de jour en jour, d'heure en heure, sans que l'on
95 sût absolument comment. Lors de la dernière con-
sultation, Alicia gisait dans sa stupeur pendant qu'ils
prenaient son pouls, se passant de l'un à l'autre le
poignet inerte. Ils l'observèrent un long moment en
silence, puis ils passèrent dans la salle à manger.

100 — Pff…, son médecin découragé haussa les épaules. C'est un cas grave… Il n'y a pas grand-chose à
faire.

— Il ne manquait que ça ! lâcha Jordan. Et il se mit
brusquement à tambouriner sur la table.

105 Alicia continua de s'éteindre dans son délire
anémique qui s'aggravait le soir, mais régressait toujours en début de matinée. Sa maladie ne progres-
sait pas durant le jour, mais chaque matin elle
s'éveillait livide, presque en syncope. On eût dit
110 que sa vie s'en allait la nuit seulement, en de nouvelles vagues de sang. Elle avait toujours au réveil
l'impression d'être écrasée dans son lit sous des
tonnes de plomb. À partir du troisième jour, cette

sensation de sombrer ne l'abandonna plus. À peine
115 pouvait-elle bouger la tête. Elle ne voulut plus qu'on
touchât au lit, ni même qu'on lui arrangeât l'oreiller.
Ses terreurs crépusculaires avançaient maintenant
sous la forme de monstres qui rampaient jusqu'au
lit et se hissaient péniblement sur l'édredon.

120   Ensuite elle perdit connaissance. Les deux derniers
jours elle délira sans cesse à mi-voix. Les lampes restaient allumées, funèbres, dans la chambre et dans
le salon. Dans le silence d'agonie qui régnait sur la
maison on n'entendait plus que le délire monotone
125 qui sortait du lit, et l'écho sourd des éternels pas de
Jordan.

    Alicia mourut, enfin. Et quand la bonne entra
pour défaire le lit alors vide, elle regarda un moment
l'oreiller avec étonnement.

130   — Monsieur ! Elle appela Jordan à voix basse. Sur
l'oreiller il y a des taches qui ressemblent à du sang.

    Jordan s'approcha rapidement et se pencha dessus.
Effectivement, sur la taie, des deux côtés du creux
qu'avait laissé la tête d'Alicia, on voyait deux petites
135 taches sombres.

    — On dirait des piqûres, murmura la bonne après
l'avoir observé immobile pendant un moment.

    — Approchez-le de la lumière, lui dit Jordan.

    La bonne le souleva, mais elle le laissa immédia-
140 tement retomber et resta à le regarder, livide et
tremblante. Sans savoir pourquoi, Jordan sentit ses
poils se hérisser.

    — Qu'y a-t-il ? murmura-t-il d'une voix rauque.

    — Il est très lourd, articula la bonne sans cesser de
145 trembler.

    Jordan le souleva ; il pesait extraordinairement. Ils
le prirent et, sur la table de la salle à manger, Jordan
coupa la taie et la doublure d'un coup de couteau.

150 Les plumes du dessus volèrent et la bonne, la bouche grande ouverte, poussa un cri d'horreur en portant ses mains crispées à ses bandeaux. Au fond, au milieu des plumes, remuant lentement ses pattes velues, il y avait une bête monstrueuse, une boule vivante et visqueuse. Elle était tellement enflée que
155 sa bouche apparaissait à peine.

Nuit après nuit, depuis qu'Alicia s'était alitée, elle lui avait sournoisement appliqué sa bouche — ou plutôt sa trompe — sur les tempes ; elle avait sucé tout son sang. La piqûre était imperceptible. En
160 secouant chaque jour son oreiller, on l'avait sans doute au début empêchée de se développer ; mais dès que la jeune femme ne put plus bouger, la succion fut vertigineuse. En cinq jours, en cinq nuits, elle avait vidé Alicia.

165 Ces parasites d'oiseau, minuscules en milieu naturel, parviennent à acquérir dans certaines conditions des proportions énormes. Le sang humain semble leur être particulièrement favorable, et il n'est pas rare d'en trouver dans les oreillers de
170 plumes. 🖋

Horacio QUIROGA, *Histoires étranges et fantastiques d'Amérique latine*, présentées par Claude Couffon, traduit de l'espagnol (Uruguay) par Frédéric Chambert, Paris, © Les Éditions A.M. Métailié, 1989.

Anton Pavlovitch Tchekhov (1860-1904)

Qu'est-ce qui peut empêcher deux êtres qui s'aiment de s'abandonner l'un à l'autre ? Qu'auraient dû faire Mlle X et Piotr Serguéitch pour que leur amour s'épanouisse ?

Le récit raconté par Tchekhov se déroule en Russie, à la fin du XIXe siècle, sous le tsarisme. À cette époque, la liberté d'expression n'existe pas, et les relations sociales sont figées dans un carcan de conventions.

Médecin pauvre, Tchekhov écrit d'abord dans les journaux – notamment de brefs récits humoristiques – pour gagner des sous. Il parvient rapidement, dans ses nouvelles comme dans son théâtre, à traduire les frémissements de l'âme russe, sa détresse et ses aspirations. Malgré sa notoriété, Tchekhov n'a jamais cessé de s'inquiéter du sort des paysans et des ouvriers pauvres et les a soignés jusqu'à sa mort, en 1904.

Tchekhov est considéré comme un des plus grands écrivains russes du XIXe siècle. Ses trois pièces de théâtre les plus importantes, *L'oncle Vania* (1897), *Les trois sœurs* (1901) et *La cerisaie* (1904), sont encore jouées et appréciées de nos jours.

Le récit
de Mlle X...

C'était il y a environ neuf ans, au moment de la fenaison[1], à la fin de l'après-midi. Piotr Serguéitch, qui exerçait les fonctions de juge d'instruction, et moi-même, nous nous rendîmes à cheval
5 à la gare chercher le courrier.

Il faisait un temps splendide, mais au retour, nous entendîmes gronder le tonnerre et vîmes un gros nuage noir et menaçant s'avancer droit sur nous. Il approchait et nous allions à sa rencontre.

10 Sur le fond de nuages se détachaient la tache blanche de notre maison et de l'église, les hautes silhouettes argentées des peupliers. Cela sentait la pluie et le foin coupé. Mon compagnon était en verve. Il riait et débitait toutes sortes de sornettes.
15 « Ce serait pas mal, disait-il, s'il se dressait soudain sur notre chemin un château moyenâgeux avec des tours crénelées, de la mousse, des hiboux, de nous y abriter de la pluie et, finalement, de périr foudroyés… »

Mais voici que sur les seigles et les avoines courut
20 la première houle, que le vent se leva et que la poussière tourbillonna dans les airs. Piotr éclata de rire et éperonna son cheval.

« Bien ! cria-t-il en se raclant la gorge. Très bien ! »

Sous l'effet communicatif de son entrain, à l'idée
25 que j'allais être trempée jusqu'aux os et pouvais être tuée par la foudre, je me mis à rire à mon tour.

[1] Coupe et récolte des foins.

Le tourbillon et le galop rapide où l'on suffoque et où l'on se sent léger comme un oiseau, excitent et chatouillent le cœur. À notre arrivée, le vent était
30 déjà tombé et de grosses gouttes de pluie s'écrasaient sur l'herbe et sur les toits. À l'écurie pas âme qui vive.

Piotr Serguéitch dessella lui-même les chevaux et les conduisit dans leurs stalles. En attendant qu'il eût
35 fini, je me tenais sur le seuil et regardais les raies obliques de la pluie: l'odeur douceâtre, excitante du foin était plus forte ici que dans la campagne; à cause des nuages et de la pluie il faisait sombre.

«Quel coup de tonnerre! dit Piotr en me rejoi-
40 gnant après une décharge particulièrement violente pendant laquelle le ciel sembla se déchirer en deux. Qu'en dites-vous?»

Il était à côté de moi, sur le seuil et, encore essoufflé par la course, me regardait. Je remarquai
45 que je lui plaisais.

«Mademoiselle Natalia, dit-il, je donnerais tout rien que pour rester ainsi à vous regarder. Vous êtes superbe aujourd'hui.»

Il avait un regard extasié et suppliant, la figure
50 pâle; sur sa barbe et ses moustaches brillaient des gouttes de pluie qui semblaient, elles aussi, me regarder avec amour.

«Je vous aime, dit-il. Je vous aime et je suis heureux de vous voir. Je sais que vous ne pouvez être
55 ma femme, mais je ne veux rien, je n'ai besoin de rien, sachez seulement que je vous aime. Ne dites rien, ne répondez pas, ne faites pas attention à moi, sachez seulement que vous m'êtes chère et permettez-moi de vous regarder.»

60 Son enthousiasme me gagna: je regardais sa figure inspirée, j'écoutais sa voix qui se mêlait au bruit de la pluie et, comme sous l'effet d'un charme, je ne pouvais faire un mouvement.

J'aurais voulu pouvoir regarder indéfiniment ses
65 yeux brillants et l'écouter.

« Vous ne dites rien — et c'est très bien ! dit Piotr.
Continuez à vous taire. »

Je me sentais bien. Je ris de plaisir et courus à la
maison sous la pluie battante ; il rit lui aussi et en
70 quelques bonds s'élança à ma poursuite.

Bruyants comme des enfants, trempés, hors
d'haleine, faisant sonner l'escalier sous nos pas, nous
fîmes irruption au salon. Mon père et mon frère, qui
n'étaient pas habitués à me voir riante et joyeuse,
75 me regardèrent avec surprise et se mirent à rire,
eux aussi.

Les nuages étaient passés, le tonnerre s'était tu ; sur
la barbe de Piotr des gouttes de pluie brillaient
encore. Tout le soir, jusqu'à l'heure du dîner, il chan-
80 ta, siffla, joua bruyamment avec le chien, le pour-
suivant à travers l'appartement, si bien qu'il manqua
renverser le domestique qui apportait le samovar[2].
À dîner il dévora, dit toutes sortes de sottises et
assura qu'il suffisait de manger des concombres frais
85 en hiver pour avoir dans la bouche une odeur de
printemps.

Au moment de me coucher, j'allumai une bougie,
ouvris la fenêtre toute grande et un sentiment in-
définissable s'empara de mon âme. Je me souvins
90 que j'étais libre, bien portante, de haut rang, riche,
qu'on m'aimait, mais surtout que j'étais de haut
rang et riche. De haut rang et riche, que c'est beau,
mon Dieu…! Puis, tout en me pelotonnant dans
mon lit, sous la fraîcheur légère qui montait du
95 jardin avec la rosée, j'essayais de démêler si j'aimais
ou non Piotr Serguéitch… Et je m'endormis sans
avoir rien compris.

Au matin j'aperçus sur mon lit les taches trem-
blotantes de soleil et les ombres du tilleul, et ma
100 mémoire eut tôt fait de revivre les événements de

[2] Bouilloire à robinet
qui fournit l'eau
chaude pour le thé.
(Mot russe.)

la veille. La vie me parut riche, variée, pleine de charme. Un refrain aux lèvres, je m'habillai à la hâte et courus au jardin…

105 Ce qui se passa ensuite ? Rien. L'hiver arriva, nous habitions en ville, Piotr venait parfois nous voir. Les amis de villégiature ne sont charmants qu'à la campagne et en été, mais en ville, et l'hiver, ils perdent la moitié de leur agrément. Quand on leur offre le thé, à la ville, on a l'impression qu'ils portent des
110 redingotes empruntées et qu'ils remuent longtemps leur cuillère dans leur thé. En ville aussi Piotr parlait quelquefois d'amour, mais cela sonnait tout autrement qu'à la campagne. En ville, nous sentions plus fortement le mur qui nous séparait : j'étais de
115 haut rang, riche, lui était pauvre, pas même noble, fils de diacre[3], un simple juge d'instruction[4]; tous deux, moi, par jeunesse, lui, Dieu sait pourquoi, nous estimions que cette muraille était très haute et très épaisse et quand il venait chez nous, en ville, il
120 souriait d'un air affecté, critiquait la haute société et observait un silence maussade lorsqu'il y avait quelqu'un d'autre au salon. Il n'y a pas de muraille infranchissable, mais les héros des romans actuels sont, autant que je sache, trop timides, nonchalants
125 et ombrageux, ils s'accommodent trop vite de l'idée qu'ils n'ont pas de chance, que la vie les a dupés ; au lieu de lutter, ils se bornent à critiquer, à dénoncer la médiocrité du monde, oubliant que leur critique même tourne peu à peu à la médiocrité.

130 J'étais aimée, le bonheur était tout proche, il semblait vivre à mes côtés ; j'étais sans souci, je n'essayais même pas de me comprendre moi-même, de savoir ce que j'attendais de la vie. Et le temps s'écoulait… Des gens sont passés devant moi avec leur amour,
135 jours sereins et nuits chaudes se sont succédé, les rossignols chantaient, le foin embaumait et tout cela, si charmant, chargé de souvenirs si merveilleux,

[3] Sorte de fonctionnaire.
[4] Dans la Russie d'alors, « juge d'instruction » était une position fort modeste.

a défilé aussi rapidement à mes yeux qu'à ceux des autres, est passé sans laisser de traces, sans être
140 apprécié, s'est évanoui comme une nuée... Où est tout cela?

Mon père est mort, j'ai vieilli; tout ce qui m'a charmée, flattée, tout ce qui a nourri mon espoir — le bruit de la pluie, les grondements du tonnerre,
145 les rêves de bonheur, les entretiens sur l'amour —, tout cela n'est plus qu'un souvenir et je ne vois devant moi qu'une plaine vaste et déserte; dans cette plaine pas une âme qui vive, et là-bas l'horizon est sombre, effrayant...

150 Un coup de sonnette... C'est Piotr. Quand je vois les arbres en hiver et que je me rappelle comme ils verdissaient pour moi, l'été, je murmure:

«Mes chéris!»

Et quand je vois des gens avec qui j'ai passé mon
155 printemps, je suis prise de mélancolie, j'ai chaud au cœur et je murmure la même chose.

Depuis longtemps, grâce à l'appui de mon père, il a été muté en ville. Il a un peu vieilli, ses traits se sont tirés. Il a depuis longtemps cessé de me faire
160 des déclarations, il ne débite plus de folies, il n'aime pas son métier, il souffre de je ne sais quelle maladie, de je ne sais quelle déception, il a tourné le dos à l'existence et vit à contrecœur. Voilà qu'il vient de s'asseoir près de la cheminée; il regarde silen-
165 cieusement la flamme... Ne sachant que dire, je lui demande:

«Eh bien?

— Rien...», m'a-t-il répondu.

Et c'est de nouveau le silence. Le reflet rouge de
170 la flamme s'est mis à danser sur son visage triste.

Je me suis souvenue du passé, et tout à coup mes épaules ont frémi, ma tête s'est inclinée, et j'ai pleuré

amèrement. J'ai senti monter en moi une pitié intolérable pour moi-même et pour cet homme et
175 j'ai désiré passionnément ce qui était passé et que la vie nous refusait aujourd'hui. Et je ne pensais plus alors que j'étais de haut rang et riche.

Je sanglotais tout haut, en me serrant les tempes, et je bredouillais :

180 « Mon Dieu, mon Dieu, ma vie est perdue… »

Il est resté assis, silencieux, il ne m'a pas dit : « Ne pleurez pas. » Il comprenait qu'il fallait pleurer, ce temps était venu. J'ai vu à ses yeux qu'il avait pitié de moi ; moi aussi j'éprouvais de la pitié pour lui et
185 du dépit contre ce malchanceux timide qui n'avait su faire ni ma vie ni la sienne.

Quand je l'ai reconduit dans le vestibule, il m'a semblé qu'il mettait délibérément plus de temps qu'il n'en fallait pour enfiler sa pelisse. Il m'a baisé
190 deux fois la main sans souffler mot et a regardé longuement mon visage gonflé de larmes. Je pense qu'à cet instant il se souvenait de l'orage, des raies de pluie, de notre rire, de mon visage d'alors. Il aurait voulu me dire quelque chose, et il aurait été
195 heureux de le dire, mais il ne l'a pas fait, il s'est contenté de secouer la tête et de me serrer fortement la main. Dieu soit avec lui !

Après l'avoir accompagné à la porte, je suis revenue dans mon bureau et me suis rassise sur le tapis
200 devant la cheminée. Les braises rouges se sont couvertes de cendre et ont commencé à s'éteindre. Le gel a frappé aux carreaux avec une fureur accrue et le vent s'est mis à chanter dans la cheminée.

La femme de chambre est entrée et, me croyant
205 endormie, m'a appelée…

Anton Pavlovitch TCHEKHOV, *La dame au petit chien et autres nouvelles*, traduit par Madeleine Durand et Édouard Parayre, revu par Lily Denis, Paris, Les Éditions Gallimard, collection Folio, 1971.

André Vanasse (1942-)

On trouverait certes, dans cette courte nouvelle, matière
à réaliser un bon *thriller* ou à écrire un roman bien corsé.

Les amateurs d'intrigues apprécieront ici le tour de
force accompli par André Vanasse : inventer une histoire
palpitante en très peu de mots. Il a d'ailleurs écrit « L'âcre
parfum » en réponse à l'invitation de la revue littéraire
XYZ, en 1987, à créer une nouvelle ne dépassant pas
une page.

Écrivain québécois, André Vanasse est également
professeur, analyste et critique littéraire. Notons deux de
ses œuvres destinées aux jeunes : *Rêves de gloire* (1995)
et *Amours, malices et... orthographe* (1991), écrite en
collaboration avec Claire Saint-Onge.

L'âcre parfum

Dès l'instant où il eut jeté un coup d'œil sur l'envoi postal, il fut conquis. Son nom était précédé
d'un « Monsieur le professeur ». Il ne résistait jamais
à cette flatterie.

5   Georges-Étienne de Roquebrune se hâta donc de
décacheter le paquet contenant un manuscrit d'une
centaine de pages à l'intérieur duquel il découvrit
une enveloppe qu'il lut d'une traite non sans avoir
humé le parfum — ma foi étrange, tenace même —
10 qui s'en dégageait. La signataire lui disait à quel

point elle appréciait ses talents de critique qui avaient — la louange lui parut excessive — largement débordé les frontières de son pays. Elle sollicitait son avis sur le manuscrit qu'il trouverait sous
15 pli. « Dois-je vous dire, Monsieur le professeur, que je tremble à l'idée de vous soumettre mon roman intitulé l'*Âcre parfum*. À dire vrai, ma vie dépend de vous. La vôtre aussi peut-être… »

Georges-Étienne de Roquebrune n'arriva pas à
20 saisir le sens de ces propos sibyllins. « Sans doute, une mégalomane. » Piqué par la curiosité, il ne put s'empêcher de lire le début. Il s'apprêtait à entreprendre la deuxième page quand il comprit qu'il avait commis une impardonnable erreur.

25 *L'Âcre parfum*, songea-t-il avec horreur. Je l'ai respiré. Je mourrai comme le ridicule personnage de ce mauvais roman…

De fait, il fut frappé d'apoplexie. Sa tête buta sur le manuscrit dont il avait dit naguère, à titre de
30 lecteur d'une maison d'édition, qu'il était d'un ennui… mortel !

André VANASSE, *La revue XYZ*, n° 11, automne 1987.

Sergio
Viaggio *(1945-)*

Par une nuit froide et pluvieuse, vous montez dans un wagon de train occupé par une personne qui vous semble louche. Graduellement, la panique s'empare de vous. Chaque geste de cet individu, même le plus anodin, vous apparaît comme une menace…

Sergio Viaggio, auteur argentin, est interprète pour les Nations Unies à Vienne, en Autriche. Il est l'auteur d'une dizaine de nouvelles, mais se spécialise plutôt dans les ouvrages portant sur la pédagogie, la traduction et l'interprétation. Dans « Le meurtre de James Conlon », il aborde les thèmes classiques de la peur, du racisme et de la violence avec une grande maîtrise du suspense et du retournement de situation.

Le meurtre de James Conlon

L es détails de l'histoire qui suit, Anita Wright n'arriva jamais à les connaître. La chose commença ce pluvieux mardi de novembre, quand James Conlon, faisant fi de tous les appels à la prudence,
5 monta dans le dernier wagon du train A, au bout d'une nuit froide et déserte. La voiture était comme tant d'autres, de cette fade couleur bleue, maquillée jusqu'au délire d'inscriptions inexplicables au

contenu stupide et aux graphies recherchées, dues

10 — désapprouvait James avec dégoût — au sinistre caprice des Noirs. James tarda à prendre conscience que, au milieu de ce mugissement affolant et du va-et-vient effréné, il était seul... ou presque. Assis comme un cerbère[1] à côté de la porte communi-

15 quant avec le reste du train, il y avait un grand garçon noir, robuste et d'aspect roublard, fourré dans un pantalon et une chemise noirs, emmitouflé dans un manteau foncé qui faisait ressortir entre les revers dressés la bague dorée pendant de l'oreille

20 gauche. James vit ces yeux de charbon, les pupilles sillonnées de filaments sanguins, et sentit que le regard hostile de l'individu s'enfonçait dans ses côtes. Il fut gagné par une peur viscérale. Son ventre se convulsionna et sa bouche s'assécha. Le Noir,

25 évidemment, s'était aperçu de la réaction, car entre ses traits insondables, sous le nez compact, il produisit un rictus semblable à un sourire. James s'écroula sur le siège, sa maladresse augmentée par celle du train, et resta immobile, faisant des efforts

30 pour ne pas regarder l'autre, grattant au fond de son foie jusqu'au dernier semblant d'aplomb et serrant de ses mains désespérées la pomme indifférente du parapluie.

Le Noir se dépelotonna comme un épervier qui

35 étend ses ailes, se pencha contre l'angle de la voiture, ouvrit les jambes à quatre-vingt-dix degrés et monta la jambe gauche sur le siège. Il resta ainsi, calcinant son co-voyageur épouvanté d'un regard narquois et incontournable. James essaya de dresser un peu le

40 dos et d'offrir le profil le plus digne possible, même s'il n'arrivait pas à ignorer la futilité de sa tentative. Une partie de son cerveau se mit à compter fébrilement : *un, deux, trois, quatre...* la prochaine station devait arriver avant trois cents... *douze... treize...*

45 *quatorze...* Le Noir s'était mis à fouiller dans ses

[1] Dans la mythologie grecque, chien à trois têtes, gardien des enfers.

poches. James remarqua que les semelles de ses souliers étaient épaisses et avaient des stries immenses... *comme celles des chaussures des astronautes.* Il voulut rire à cette idée, ne serait-ce qu'un
50 peu... *quarante-deux, quarante-trois...* mais il ne put. Car le grand garçon avait exhumé un objet semblable à un peigne, mais qui ne l'était pas puisque y insérant l'ongle jaunâtre, il lui dédoubla une lame éblouissante, aveuglante. James sentit une
55 chaude viscosité entre les fesses. Son cœur était un bélier, un animal enfermé dans un sac, une bombe fracassante qui étouffait les hurlements et les spasmes du wagon. *Soixante, soixante et un, soixantedeux, soixante-trois...* Le Noir se nettoyait les ongles
60 avec parcimonie. James pouvait entrevoir la paume couleur saumon, couverte d'entailles foncées, et les cuticules semblables à des jaunes d'œufs.

Maintenant je me lève et je passe à l'autre voiture, proclama-t-il pour lui-même. *Maintenant. Et s'il*
65 *étend la jambe pour me barrer le passage, alors là, je lui dis « S'il vous plaît, cher monsieur », poliment mais avec fermeté, de Blanc à Noir. Merde alors !... quatre-vingt-deux, quatre-vingt-trois... Je me lève et me mets à marcher calmement, comme si de rien n'était, et dès*
70 *que je serai près de la porte, je me lance avant qu'il ne puisse réagir... Quatre-vingt-dix-sept, quatre-vingt-dix-huit... Ça doit être dans les couilles. Comme ça, les jambes écartées, je ne peux pas le rater... un simple coup de pied... cent trois, cent quatre, cent cinq...*
75 *Ou avec le parapluie, pourquoi pas ?* et il se cramponna au manche d'acajou. *Cent...* Il sursauta. Son cœur sembla sombrer dans un vide insondable. La sueur baigna ses aisselles. Dans la voiture de devant venaient de monter deux jeunes filles et un jeune
80 homme et ils se dirigeaient carrément vers lui. Il est probable que des larmes de joie aient visité les yeux de James pour un instant... Mais seulement pour un

instant, car le jeune homme, qui était à la tête du groupe, jeta un coup d'œil à travers la vitre crasseuse
85 et indiqua aux femmes que ce n'était pas la peine de continuer.

Un tourniquet dans la gorge, un coutelas dans les tripes, un marasme entre les jambes… James était à la fois pétrifié et près d'éclater. Le Noir continuait
90 de lui asséner son sourire oblique, de ses lèvres rugueuses et grossières comme des racines. James réussit à rendre indépendante à nouveau une moitié de sa tête, seul recours contre la panique totale. Il avait perdu le compte. C'était mieux de reprendre
95 à cent cinquante… ou plutôt non. Non. *C'était mieux à cent*, pour être sûr, pour ne pas désespérer si à deux cent quatre-vingt-dix le train ne commençait pas à freiner. Oui, c'est mieux… *Cent dix, cent onze…* car depuis cent on était plus tranquille,
100 *je veux dire assuré… ou va savoir ce que je veux dire! Cent quinze, cent seize, cent dix-sept. Pas aussi vite, c'est trop! Cent seize, cent dix-sept…*

Le Noir fit un geste comme pour se mettre debout. James eut le sentiment que ses os se
105 liquéfiaient et que ses viscères se désintégraient. La terreur lui déchargea son terrible voltage dans un frisson asservissant. Un cri commença à monter et à croître. Arrivé à la bouche, il fut si terrible qu'il lui déchira la gorge. Il dressa le parapluie, les mains
110 imprégnées du manche et du tissu, et le déchargea avec une force monumentale sur la poitrine du Noir. Le bout glissa à travers les côtes et s'enfonça dans l'abdomen. Le Noir se plia dans une grimace atroce et émit un gémissement guttural, à peine audible,
115 tout en se cramponnant inutilement au parapluie ensanglanté, luttant pour le décrocher de son ventre. James poussait de tout son poids, hissé sur le manche. L'autre lutta encore quelques secondes, s'écroulant de côté sur le siège. Il resta ainsi, se

120 berçant avec le wagon, le parapluie jaillissant de ses entrailles. Une violente secousse arracha James de la léthargie où il était tombé. Les portes s'ouvrirent avec fracas. Il réussit à comprendre qu'ils étaient arrivés à la station. Il prit un instant pour jeter un
125 dernier regard d'étonnement à la masse immobile et, réagissant enfin, il sortit comme projeté vers les escaliers, noyé de sueur et d'urine, pour se perdre dans la nuit indolente.

Anita Wright, disais-je, n'apprit jamais comment
130 les choses s'étaient produites. Elle sut uniquement ce qu'on lui dit au poste de police : son mari, Earl Wright, avait été une autre victime du fou au parapluie, ce qui démontrait encore une fois combien il est dangereux de monter dans un wagon vide.

Sergio VIAGGIO, *La revue XYZ*, traduit par Javier Garcia Méndez, n° 8, hiver 1986.

Des caractéristiques à faire découvrir

Isabel Allende, **Deux mots**, p. 1

Prendre conscience des facteurs qui peuvent influer sur sa lecture à l'aide du texte de présentation.

Construire le schéma actanciel en cernant les personnages, leurs traits physiques et psychologiques.

Reconnaître les univers particuliers suggérés par les termes techniques reliés au monde des mots et de la guerre.

Construire le schéma narratif.

Comparer le déroulement du récit à la chronologie de l'histoire.

Observer qu'un récit peut comporter plusieurs histoires et reconnaître leur complémentarité.

Comparer la longueur du développement d'un événement dans le récit à la durée de cet événement dans l'histoire.

Observer les marques qui révèlent l'attitude du narrateur par rapport à l'histoire.

Comparer l'univers narratif de ce texte à celui de Marc Laberge, dans *Tamusi, fils de la glace*.

André Brochu, **Un clair du tonnerre**, p. 14

Dégager les éléments de l'univers évoqués par des associations d'idées, d'images ou de mots, plutôt que désignés, caractérisés ou situés explicitement.

Reconnaître, dans le passage descriptif, l'univers particulier suggéré par les termes et le champ lexical.

Reconnaître le rôle du passage dialogué dans la progression et la continuité du récit.

Observer le type de récit, l'univers créé et l'emploi de son vocabulaire particulier.

Se situer par rapport au texte en appréciant le point de vue adopté par le traitement du thème.

Dino Buzzati, **Esclave**, p. 16

>   Dégager les principaux thèmes.
>
>   Reconstituer le schéma narratif.
>
>   Observer les temps verbaux utilisés dans les différentes étapes du schéma narratif.
>
>   Reconnaître le point de vue énoncé dans le texte par le biais du narrateur.
>
>   Déterminer le rôle des passages dialogués.
>
>   Discerner les valeurs véhiculées par le personnage principal et sa femme.

Italo Calvino, **Le mouton noir**, p. 25

>   Découvrir les buts du texte : une parabole sur la société et ses valeurs.
>
>   Observer les valeurs révélées par cette société particulière et dégager le point de vue du narrateur par rapport à cette société et à ses valeurs.
>
>   Reconstruire le schéma classique de ce texte et ses marques d'organisation (« Il était une fois », « Cela dura quelque temps », etc.).
>
>   Comparer le thème du mouton noir exploité dans cet univers narratif à celui du mouton noir exploité dans d'autres productions théâtrales, cinématographiques ou télévisuelles.

Roch Carrier, **L'encre**, p. 28

>   Dégager les éléments de l'univers évoqués par des associations d'idées, d'images ou de mots, plutôt que désignés, caractérisés ou situés explicitement.
>
>   Dégager le thème du texte.
>
>   Reconnaître les éléments de continuité et de progression qui contribuent à la cohérence du texte.
>
>   Reconnaître si, dans le texte, on cherche à influer sur le destinataire, en plus de chercher à satisfaire son besoin d'imaginaire et d'esthétique.
>
>   Établir des liens entre sa connaissance du texte narratif en général et l'organisation particulière du texte.

Roald Dahl, *Un homme du Sud*, p. 31

Cerner les personnages, leurs traits physiques et psychologiques, leurs rôles.

Reconnaître la connotation sociale suggérée par le registre de langue.

Construire le schéma narratif.

Observer les temps verbaux utilisés dans la narration.

Expliquer le rôle des différents types de passages insérés.

Observer les marques qui révèlent l'attitude du narrateur par rapport à l'histoire.

Michel de Celles, *Chronique capillaire*, p. 46

Dégager les éléments de l'univers évoqués par des associations d'idées, d'images ou de mots, plutôt que désignés, caractérisés ou situés explicitement.

Reconstruire le plan du texte et son organisation particulière.

Observer la continuité assurée par différents mots substituts qui justifient le titre *Chronique capillaire*.

Dégager l'image que le texte donne d'un destinataire qui saura inférer les éléments implicites de l'univers narratif évoqué.

Observer les marques (le vocabulaire, la ponctuation et les phrases, certains procédés stylistiques) qui révèlent l'attitude du narrateur.

Michel Dufour, *Les planètes*, p. 49

Dégager les éléments de l'univers évoqués par des associations d'idées, d'images ou de mots, plutôt que désignés, caractérisés ou situés explicitement.

Reconnaître l'univers particulier suggéré par les termes techniques et le champ lexical des planètes.

Reconnaître la part de l'imaginaire dans le récit : l'histoire est réelle ou fictive, vraisemblable ou invraisemblable.

Comparer le déroulement du récit à la chronologie de l'histoire.

Comparer la longueur du développement d'un événement dans le récit à la durée de cet événement dans l'histoire.

Observer les marques qui révèlent l'attitude du narrateur.

Établir des liens entre son milieu socioculturel et celui qui est représenté dans le texte, entre des expériences observées dans son entourage et ce que vivent les personnages (goûts, sentiments, opinions, croyances, etc.).

Madeleine Ferron, *Le Peuplement de la Terre*, p. 52

Dégager les éléments de l'univers évoqués par des associations d'idées, d'images ou de mots, plutôt que désignés, caractérisés ou situés explicitement.

Reconnaître l'importance des lieux, de l'époque et des personnages dans l'histoire.

Décrire l'évolution physique et psychologique du personnage principal.

Observer les valeurs explicitées ou révélées par les personnages, les valeurs associées à l'époque, les valeurs mises en relief par la façon de traiter les thèmes.

Établir des liens entre son milieu socioculturel et celui qui est représenté dans le texte, entre des expériences observées dans son entourage et ce que vivent les personnages (goûts, sentiments, opinions, croyances, etc.).

Romain Gary, *Un humaniste*, p. 58

Cerner la portée de cette nouvelle à l'aide d'indices qui révèlent l'époque pendant laquelle se déroule l'histoire.

Dégager les éléments de l'univers associé à l'humanisme en construisant un champ lexical, en repérant les connotations culturelles.

Établir des liens entre les éléments de l'univers narratif en reconnaissant la part de l'imaginaire et l'importance des lieux, de l'époque et des personnages évoqués dans cette histoire.

Comparer la longueur du développement d'un événement dans le récit à la durée de cet événement dans l'histoire.

Dégager le thème à l'aide des schémas narratif et actanciel.

William Fryer Harvey, *Chaleur d'août*, p. 66

Reconnaître l'univers narratif évoqué par le champ lexical annoncé par le titre.

Établir des liens entre les éléments de l'univers narratif (sous-titre et inscription de la pierre tombale, deux artistes, etc.).

Reconnaître les éléments de continuité et de progression à l'aide des temps verbaux utilisés dans la narration.

Cerner l'intrigue qui repose sur deux actes de création.

Observer la progression par l'ajout d'information nouvelle.

Observer les marques qui révèlent l'attitude du narrateur, personnage principal.

Maurice Henrie, *Les mains*, p. 75

Reconnaître l'univers ou les éléments de l'univers évoqués par le lexique.

Reconnaître l'importance des lieux, de l'époque et des personnages dans l'histoire.

Reconnaître les éléments de continuité et de progression qui contribuent à la cohérence du texte.

Reconnaître le point de vue énoncé dans le texte.

Observer les marques qui révèlent l'attitude du narrateur par rapport à l'histoire.

Observer les valeurs explicitées ou révélées par les personnages, les valeurs associées au lieu et à l'époque de l'histoire.

Établir des liens entre son milieu socioculturel et celui qui est présenté dans le texte.

Marc Laberge, *Tamusi, fils de la glace*, p. 81

Reconnaître les lieux désignés ou localisés dans l'espace et l'époque désignée ou située dans le temps.

Reconnaître l'univers ou les éléments de l'univers évoqués par le lexique.

Dégager le thème du texte.

Observer les valeurs explicitées ou révélées par les personnages, les valeurs associées à l'époque, les valeurs mises en relief par la façon de traiter les thèmes.

Comparer l'univers narratif de ce texte à celui de *Deux mots* d'Isabel Allende.

Claire Martin, *Les oignons verts*, p. 84

Reconnaître le point de vue énoncé dans le texte par le biais du narrateur.

Trouver les marques qui révèlent l'attitude du narrateur et le campent en tant que maître d'œuvre de la progression des événements.

Décrire le personnage principal par ce qu'on apprend de particulier dans les passages narratifs et les passages dialogués.

Reconnaître l'univers narratif évoqué par le lexique.

Reconstituer l'organisation du texte en reconnaissant le rôle de différents types de passages, insérés en alternance.

Sylvie Massicotte, *Monsieur*, p. 89

Construire le schéma actanciel.

Cerner les personnages, leurs traits psychologiques, l'intrigue, l'enjeu.

Construire le schéma narratif.

Expliquer le rôle des différents types de passages dans la progression du récit.

Observer les marques qui révèlent l'attitude du narrateur.

Justifier sa réaction en s'appuyant sur le texte (contenu, organisation, point de vue, etc.) et la confronter avec celle d'autres personnes de manière à nuancer, à renforcer ou à réviser sa perception du texte.

Richard Matheson, *Escamotage*, p. 97

Distinguer récit et histoire en comparant le déroulement du récit à la chronologie de l'histoire.

Reconnaître comment les mots et les expressions en italique assurent la progression du récit par des ajouts d'informations diversifiées.

Reconnaître l'apport des passages narratifs et des passages dialogués.

Observer toutes les marques qui révèlent le changement de l'attitude du narrateur par rapport à tout ce qui s'escamote autour de lui.

Guy de Maupassant, *La parure*, p. 118

Reconnaître les lieux désignés ou localisés dans l'espace et l'époque désignée ou située dans le temps.

Cerner les personnages, leurs traits physiques et psychologiques, leurs rôles.

Construire le schéma narratif en repérant les marques d'organisation.

Observer les temps verbaux utilisés dans la narration.

Comparer la longueur du développement d'un événement dans le récit à la durée de cet événement dans l'histoire.

Reconnaître le point de vue adopté dans le texte.

Comparer l'univers narratif de ce texte à celui d'une ou de plusieurs nouvelles de ce recueil.

Edgar Allan Poe, *Le cœur révélateur*, p. 131

Cerner les traits psychologiques du personnage principal.

Reconstruire le schéma narratif et ses marques d'organisation.

Distinguer récit et histoire.

Observer la progression assurée par les ajouts d'information nouvelle dans le texte.

Reconnaître le point de vue énoncé dans le texte à l'aide des marques qui révèlent l'attitude.

Dégager l'image que le texte donne du destinataire.

Apprécier le point de vue adopté dans le texte.

Stefan Psenak, *Trois chiffres et un nom de rue*, p. 139

Dégager les éléments de l'univers évoqués par des associations d'idées, d'images ou de mots, plutôt que désignés, caractérisés ou situés explicitement.

Reconnaître la part de l'imaginaire dans le récit : l'histoire est réelle ou fictive, vraisemblable ou invraisemblable.

Distinguer récit et histoire.

Reconnaître le point de vue énoncé dans le texte.

Établir des liens entre sa connaissance du texte narratif en général et l'organisation particulière du texte.

Horacio Quiroga, *L'oreiller de plumes*, p. 142

Reconnaître l'univers et les éléments de l'univers évoqués par le lexique.

Reconnaître la part de l'imaginaire dans le récit : l'histoire est vraisemblable ou invraisemblable.

Observer la continuité assurée par différents mots substituts qui reprennent un élément déjà présent dans le texte.

Observer le type de récit et l'univers créé.

Reconnaître si, dans le texte, on cherche à influer sur le destinataire, en plus de chercher à satisfaire son besoin d'imaginaire et d'esthétique.

Comparer l'univers narratif du texte à d'autres univers observés dans des productions littéraires ou artistiques.

Anton Pavlovitch Tchekhov, *Le récit de Mlle X...*, p. 149

Cerner l'évolution psychologique des deux personnages principaux.

Reconnaître l'univers particulier de l'époque, évoqué par le lexique, les archaïsmes et les connotations sociales.

Distinguer les points de vue de la narratrice et de Piotr.

Comparer le déroulement du récit à la chronologie de l'histoire.

Discerner les valeurs explicitées par les personnages, les valeurs associées à l'époque et au lieu de l'histoire.

Se situer par rapport au texte en établissant des liens entre notre milieu socioculturel contemporain et celui qui est présenté dans le texte (classes sociales, amour, mariage, etc.).

André Vanasse, *L'âcre parfum*, p. 155

Construire le schéma actanciel en cernant l'intrigue, l'enjeu, les rôles et les moyens d'action.

Construire le schéma narratif.

Observer les valeurs explicitées ou révélées par les personnages, les valeurs associées à leurs emplois professionnels.

Comparer l'univers narratif de ce court texte à une ou plusieurs nouvelles de ce recueil.

Sergio Viaggio, *Le meurtre de James Conlon*, p. 157

Cerner l'intrigue, les enjeux, les rôles et les moyens d'action des personnages.

Reconnaître l'importance des lieux et des personnages dans l'histoire.

Comparer le déroulement du récit à la chronologie de l'histoire.

Observer la progression assurée par les ajouts d'information nouvelle dans le texte.

Expliciter le rôle de l'utilisation de l'italique dans le récit.

Comparer l'univers narratif du texte à d'autres univers observés dans des productions cinématographiques ou télévisuelles.